recettes pour bébé

recettes pour bébé

Blandine Vié
Photographies de Akiko Ida

marabout

Pour l'éditeur, le principe est d'utiliser des papiers composés de fibres naturelles, renouvelables, recyclables et fabriquées à partir de bois issus de forêts qui adoptent un système d'aménagement durable. En outre, l'éditeur attend de ses fournisseurs de papier qu'ils s'inscrivent dans une démarche de certification environnementale reconnue.

Mise en pages : Les PAOistes

Édition 04
Dépôt legal : décembre 2008
ISBN : 978-2-501-05768-4
Codif : 40 4603 3
Imprimé en Espagne par Cayfosa

sommaire

introduction

Il n'y a rien de plus beau que d'avoir un enfant. Mais il n'y a rien de plus angoissant. Surtout si c'est le premier !
À la maternité, tout va bien… Côté soins, les puéricultrices bichonnent, lavent, changent, habillent bébé avec tant d'adresse que tout paraît facile. On se demande juste si on saura faire aussi bien. Pour ce qui est de l'allaitement, au sein ou artificiel, on est conseillé et encadré et tout va bien là aussi !
C'est en général dès le retour à la maison que commence à souffler un vent de panique. On commence par installer bébé dans sa chambre sans bien réaliser ce qui se passe. Mais au fil des jours, on se rend compte qu'un bébé ne se « case » pas facilement dans un emploi du temps. La jeune maman pense souvent qu'elle ne réussira jamais à s'organiser. Son sentiment de culpabilité se traduit par des coups de cafard, des crises de larmes, voire des crises de nerfs : c'est ce qu'on appelle la dépression post-partum, ou dépression bleue. C'est un état normal. On trouve son rythme au bout d'un mois environ – ce qui coïncide à peu près avec le premier sourire du bébé – surtout si l'entourage est compréhensif… et discrètement efficace !
Puis, très vite, de nouvelles questions se posent. Le bébé a 4 mois, et on peut commencer à lui donner à manger autre chose que du lait. Oui… mais

quoi ? C'est pour répondre à cette question - que je me suis posée lorsque j'ai eu ma fille – que j'ai écrit ce livre. Je ne pouvais me résoudre aux petits pots, ou à la soupe « poireaux-carottes-pommes de terre » de nos grands-mères. Il me paraissait indispensable d'introduire un peu de fantaisie dans son alimentation.

Bien sûr, comme toutes les mamans, j'ai eu peur de faire des bêtises. Et pour ne pas en faire, j'ai décidé de demander à son pédiatre son avis et sa caution sur toutes mes recettes. L'expérience est vite devenue formidable. Car il ne s'agissait plus seulement de cuisine : en découvrant de nouveaux plats, ma fille découvrait de nouvelles odeurs, de nouvelles couleurs, de nouvelles textures, de nouvelles saveurs…

Chaque nouveau biberon était source de joie… car source de découvertes ! Il lui arrivait aussi

de ne pas apprécier, affirmant ainsi sa personnalité. Un enfant qui mange tous les jours la même chose ne peut pas épanouir sa personnalité aussi bien qu'un enfant dont la nourriture est variée. Et un enfant dont les repas sont monotones est un enfant dont on anesthésie le goût. Aussi, c'est pour venir en aide aux mamans – et régaler leurs bébés – que j'ai décidé de publier le cahier de recettes de ma fille Coralie quand elle était bébé.

Blandine Vié

de 4 à 8 mois

jus de fruits

5 mois

Préparation **10 minutes**

Les agrumes seront simplement pressés,
les autres fruits passés à la centrifugeuse.

Les fruits doivent être sains, mûrs, parfaitement lavés, pelés s'ils ont la peau rugueuse (les pêches, par exemple) à cause des pesticides, épépinés ou dénoyautés. Commencez par les plus doux et n'en donnez que 1 cuillerée à café à votre bébé ; vous augmenterez progressivement les quantités au fil des mois.

- jus d'orange - jus d'orange + 1 c. à c. de miel
- jus de mandarine
- jus de pamplemousse rose + 1 c. à c. de miel
- jus de pamplemousse + 1 poignée de framboises
- jus de pomme - jus de pomme + 1 petite pincée de cannelle en poudre
- jus de poire - jus de poire + 1 sachet de sucre vanillé
- jus d'abricots - jus d'abricots + 1 c. à c. de cassonade
- jus de pêche - jus de pêche + 1 grappe de groseilles rouges
- jus de fraises - jus de fraises + quelques feuilles de menthe
- jus de framboises - jus de mirabelles
- jus de mûres + 1 sachet de sucre vanillé + quelques gouttes de jus de citron
- jus de pastèque - jus de melon bien mûr
- jus de raisin muscat

Certains jus de fruits peuvent avoir une action laxative : n'en abusez pas et variez-les le plus possible !

jus de légumes

4 à 5 mois

Préparation **10 minutes**

Passez les légumes à la centrifugeuse après les avoir soigneusement lavés et pelés dans certains cas (peau non comestible).

Commencez par les légumes les plus doux, et n'en donnez à votre bébé que 1 cuillerée à café ; vous augmenterez progressivement les quantités au fil des mois. Ne donnez pas de jus de carotte avant 6 mois.

jus de légumes

4 à 5 mois

Préparation **10 minutes**

- jus de tomate (6 mois)
- jus de tomate + quelques feuilles de basilic
- jus de carotte (6 mois)
- jus de carotte + quelques branches de persil
- jus de carotte + quelques feuilles de laitue
- jus de courgette
- jus de concombre
- jus de fenouil
- jus de radis roses
- jus de petits pois + quelques feuilles de menthe
- jus de haricots verts
- jus de betterave crue

Certains jus de légumes, notamment le jus de betterave crue, peuvent colorer les selles : ne vous alarmez pas trop vite ! Sachez aussi que beaucoup d'entre eux ont un effet légèrement laxatif : n'en abusez pas !

lait de poule au tilleul

5 mois

Préparation **15 minutes**

1 petite poignée de **tilleul**
20 cl de **lait**
1 **œuf**
1 c. à s. de **sucre en poudre** (10 g environ)
ou 1 c. à c. de **miel de tilleul**

Mettez le tilleul dans une petite casserole. Versez le lait par-dessus. Portez à frémissement, retirez du feu et laissez infuser jusqu'à ce que le lait tiédisse.

Cassez l'œuf en séparant le blanc du jaune, ne conservez que le jaune, en éliminant les germes. Mettez-le dans un bol.

Ajoutez le sucre en poudre (ou le miel), battez quelques minutes.

Délayez peu à peu avec le lait tamisé au chinois.

Donnez à boire au bol, au verre ou au biberon.

Préférez le tilleul en vrac aux infusettes : elles sont préparées avec du tilleul de moindre qualité et contenant souvent des impuretés.

Ce lait de poule est particulièrement recommandé pour les jours où votre bébé est un peu fébrile, ou s'il couve un petit rhume.

lait de poule à la fleur d'oranger

5 mois

Préparation **10 minutes**

1 **œuf**
1 c. à s. de **sucre en poudre** (10 g environ)
1 c. à c. d'**eau de fleur d'oranger**
20 cl de **lait**

Cassez l'œuf en séparant le blanc du jaune, ne conservez que le jaune, en éliminant les germes. Mettez-le dans un bol.

Ajoutez le sucre en poudre, battez quelques minutes au fouet.

Délayez avec l'eau de fleur d'oranger.

Délayez peu à peu avec le lait chaud ou froid, mais préalablement bouilli.

Donnez à boire au bol, au verre ou au biberon.

bouillon de haricots verts

4 mois

Préparation **10 minutes**

Cuisson **1 heure**
1 poignée de **haricots verts**
1 petit bouquet de **persil plat**

Effilez les haricots verts (cassez les pointes et retirez les fils) et lavez-les soigneusement. Lavez le persil.

Mettez les légumes dans une casserole avec 75 cl d'eau. Portez à frémissement pendant 1 heure sur feu doux.

Versez le bouillon tamisé au chinois dans un biberon, complétez avec du lait à la température souhaitée, ou, si votre bébé est plus grand, en incorporant un peu de légumes mixés.

À partir de 4 mois, vous pouvez ajouter quelques grains de sel à l'eau de cuisson ; à partir de 5 mois, vous pouvez présenter à votre bébé la soupe entièrement mixée, à la cuillère (ajoutez alors une petite noisette de beurre ou 1 cuillerée à soupe de fromage blanc à 40 % de matières grasses).

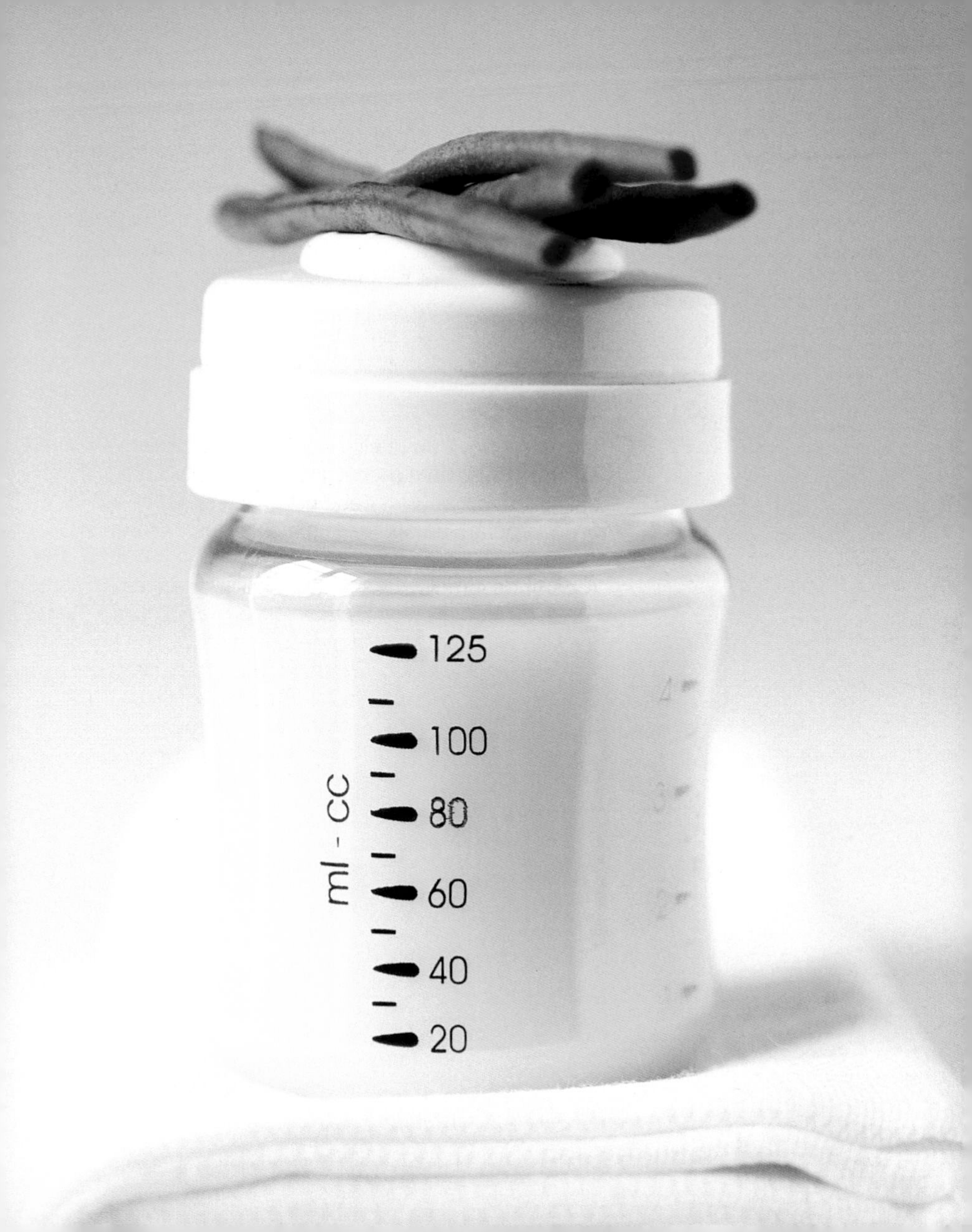
125
100
80
60
40
20
ml - cc

bouillon épinards pomme de terre

5 mois

Préparation **15 minutes**

Cuisson **2 heures**
1 grosse poignée d'**épinards**
1 **pomme de terre**
quelques grains de **sel**

Triez les épinards, coupez les queues au ras des feuilles, retirez les grosses nervures, lavez les feuilles. Pelez et lavez la pomme de terre.

Mettez les épinards grossièrement ciselés et la pomme de terre coupée en dés dans une casserole avec un litre d'eau et quelques grains de sel. Portez à frémissement pendant 2 heures sur feu doux (1 heure seulement si votre bébé a plus de 6 mois).

Servez le bouillon tamisé au biberon, en complétant avec du lait, à la température souhaitée ; si votre bébé est plus grand, incorporez un peu de légumes mixés.

125
100
80
60
40
20
ml - cc

bouillon de carottes au persil

4 mois

Préparation **10 minutes**

Cuisson **2 heures**
2 **carottes**
1 petit bouquet
de **persil plat**
quelques **grains de sel**

Pelez et lavez les carottes, coupez-les en rondelles. Lavez soigneusement le persil.

Mettez le tout dans une casserole avec 1 litre d'eau froide et quelques grains de sel. Portez à frémissement sur feu très doux pendant 2 heures.

Servez le bouillon tamisé au biberon, en complétant avec du lait à la température souhaitée ; si votre bébé est plus grand, incorporez un peu de légumes mixés.

À partir de 5 mois, vous pouvez proposer à votre bébé la soupe entièrement mixée, à la cuillère (ajoutez alors une petite noisette de beurre) ; à partir de 6 mois, vous pouvez réduire le temps de cuisson de 1 heure.

30
125
100
4

bouillon d'artichaut

5 mois

Préparation **15 minutes**
Cuisson **1 heure**

1 **artichaut**
1 **pomme de terre**
¼ de **citron**
2 branches de **persil plat**
quelques **grains de sel**

Lavez et épluchez l'artichaut à cru : cassez la queue, détachez les feuilles et le « foin » pour dégager le fond, et frottez-le aussitôt avec le citron. Pelez et lavez la pomme de terre.

Coupez l'artichaut et la pomme de terre en gros dés, et mettez-les dans une casserole avec 1 litre d'eau, le persil et quelques grains de sel. Portez à frémissement pendant 1 heure sur feu doux.

Servez le bouillon tamisé au biberon, en complétant avec du lait, à la température souhaitée, ou, si votre bébé est plus grand, en incorporant un peu de légumes mixés.

260
240
220
200
180
160
140
120
100
80
60
ml - cc
9
8
7
6
5
4
3
2
fl. oz

bouillon de carottes et de laitue

4 mois

Préparation **15 minutes**
Cuisson **2 heures**

2 **carottes**
½ **laitue**
2 branches de **persil plat**
quelques grains de **sel**

Pelez et lavez les carottes, coupez-les en rondelles. Épluchez et lavez soigneusement la demi-laitue. Lavez le persil.

Mettez le tout dans une casserole avec 1 litre d'eau froide et quelques grains de sel. Portez à frémissement sur feu très doux pendant 2 heures.

Versez le bouillon tamisé dans un biberon, complétez avec du lait à la température souhaitée ; si votre bébé est plus grand, incorporez un peu de légumes mixés.

À partir de 5 mois, vous pouvez donner à votre bébé la soupe entièrement mixée, à la cuillère (ajoutez alors une petite noisette de beurre) ; à partir de 6 mois, vous pouvez réduire le temps de cuisson de 1 heure. Ne soyez pas tentée de ne mettre que le cœur de la demi-laitue : les vitamines se trouvent surtout dans les feuilles vertes !

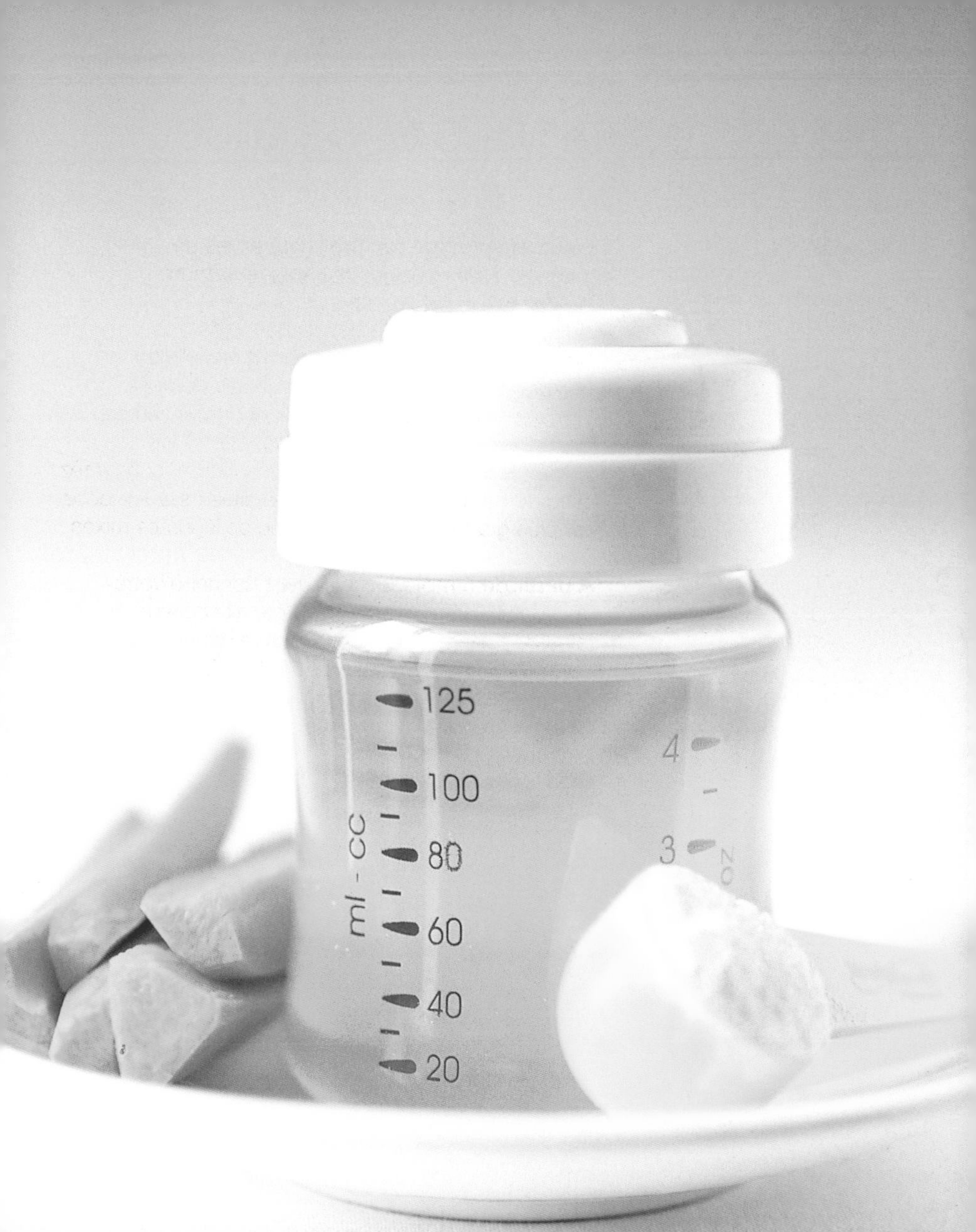
ml - cc
125
100
80
60
40
20
4
3
oz

bouillon potiron poireau

4 mois

Préparation **20 minutes**
Cuisson **1 heure**

100 g de **potiron**
1 **poireau** fin
2 branches de **persil plat**
quelques grains de **sel**

Épluchez le potiron en éliminant soigneusement l'écorce, les fibres et les graines. Coupez-le en dés. Épluchez le poireau en supprimant les radicelles et l'extrémité des feuilles vertes, de manière à ne laisser que le blanc et un tiers du vert environ. Coupez-le en rondelles. Lavez le persil.

Mettez le tout dans une casserole avec 1 litre d'eau froide et quelques grains de sel. Portez à frémissement pendant 1 heure sur feu doux.

Tamisez le bouillon de cuisson et versez-en dans le biberon jusqu'à la graduation désirée. Complétez avec du lait. Donnez le biberon à votre bébé dès que la température lui convient.

Si votre bébé est plus âgé, incorporez un peu de légumes mixés. À partir de 5 mois, vous pouvez lui présenter la soupe, complètement mixée, à la cuillère (ajoutez alors une petite noisette de beurre).

bouillon courgette fromage blanc

5 mois

Préparation **15 minutes**
Cuisson **1 heure**

1 **courgette**
2 branches de **persil plat**
100 g de **fromage blanc** battu à 40 % de matières grasses
quelques **grains de sel**

Coupez la queue et le bout arrondi de la courgette. Lavez-la soigneusement (au besoin en la brossant) sans la peler, et coupez-la en tronçons.

Mettez les morceaux de courgette dans une casserole avec 1 litre d'eau froide, le persil et quelques grains de sel. Portez à frémissement sur feu doux pendant 1 heure.

Mettez le fromage blanc dans le biberon et complétez avec du bouillon de cuisson tamisé au chinois. Secouez bien le biberon avant de le présenter à votre bébé.

Vous pouvez remplacer le persil par quelques feuilles de menthe. À partir de 5 mois, vous pouvez lui présenter la soupe entièrement mixée, à la cuillère, après avoir incorporé le fromage blanc.

125
100
4
3
fl. oz
2
1

soupe au lait verdurette

4 mois

Préparation **10 minutes**
Cuisson **10 minutes**

4 feuilles de **bettes**
(le vert, sans les côtes)
½ **laitue**
50 cl de **lait**
quelques branches
de **persil plat**
et de **cerfeuil**

Lavez soigneusement les feuilles de bettes après avoir retiré les grosses nervures. Épluchez et lavez la demi-laitue et les herbes. Ciselez le tout très grossièrement.

Placez les herbes, les feuilles de bettes et de laitue dans le panier perforé d'un cuit-vapeur. Faites cuire 10 minutes à la vapeur.

Mixez le tout en purée.

Mettez la purée dans une casserole, délayez avec le lait et portez à frémissement très doux pendant 20 minutes.

Transvasez dans un biberon que vous présenterez à votre bébé dès que le mélange sera à bonne température.

À partir de 4 mois, ajoutez quelques grains de sel et une petite noisette de beurre. À partir de 5 mois, vous pouvez lier la soupe avec un jaune d'œuf, en battant vigoureusement. Vous pouvez, bien sûr, utiliser d'autres herbes : cresson, oseille, chicorée frisée etc. (mais pas d'épinards avant 6 mois). Si les herbes ont une saveur légèrement amère, corrigez cette amertume avec un morceau de sucre. À la campagne, n'hésitez pas à employer des fanes de radis, des orties tendres et même quelques feuilles de mauve, aux propriétés adoucissantes.

330
300
270
240
210
180
150
120
90
60
ml - cc

potage Parmentier

6 mois

Préparation **20 minutes**
Cuisson **1 h 15**

1 gros **poireau** bien blanc
1 petite **pomme de terre**
3 branches de **cerfeuil**
25 cl de **lait**
1 petite noisette de **beurre** (5 g environ)
quelques **grains de sel**

Épluchez et lavez le poireau, en ne conservant que le blanc et le tiers de vert ; coupez-le en rondelles. Pelez et lavez la pomme de terre ; coupez-la en dés. Lavez le cerfeuil.

Mettez les légumes dans une casserole avec 75 cl d'eau froide, le cerfeuil et quelques grains de sel. Portez à frémissement pendant 1 heure.

Passez le contenu de la casserole au mixeur, reversez dans la casserole, délayez avec le lait et portez à nouveau à frémissement.

Ajoutez une petite noisette de beurre, transvasez dans le biberon (tétine à large débit), et attendez que la température convienne au bébé.

330
300
270
240
210
180
150

soupe de courgettes au parmesan

6 mois

Préparation **15 minutes**
Cuisson **1 h 15**

1 belle **courgette**
1 **tomate**
2 branches de **persil plat**
2 branches de **cerfeuil**
1 c. à s. de **semoule de blé** fine (10 g environ)
1 c. à c. de **parmesan** finement râpé
1 petite pincée de **sel**

Coupez la queue et le bout arrondi de la courgette, lavez-la sans la peler (en la brossant bien), coupez-la en tronçons. Lavez la tomate, coupez-la en quartiers, épépinez-les. Lavez le persil et le cerfeuil.

Mettez tous les légumes dans une casserole avec 75 cl d'eau froide et une toute petite pincée de sel. Portez à frémissement sur feu doux pendant 1 heure.

Passez le contenu de la casserole au mixeur, et reversez-le dans la casserole une fois mixé.

Jetez la semoule en pluie dès la reprise du frémissement, et laissez cuire en suivant les instructions du paquet (en général, quelques minutes suffisent).

Incorporez le parmesan râpé à la soupe, hors du feu, et transvasez dans le biberon (tétine à large débit). Vous le présenterez à votre bébé dès que la soupe aura suffisamment refroidi.

ml - cc
260
240
220
200
180
160
140
120
100
80
60
fl. oz
8
7
6
5
4
3
2

velouté de pâtes au poulet

5 mois

Préparation **10 minutes**
Cuisson **10 minutes**

20 cl de **bouillon de volaille** dégraissé
20 g de **blanc de poulet** rôti (ou de poule bouillie), sans la peau
1 c. à s. de petites **pâtes à potage** (alphabet, étoiles, cheveux d'ange, etc.)

Versez le bouillon dans une casserole et portez-le à frémissement sur feu doux.

Pendant ce temps, hachez le poulet le plus finement possible, et mettez le hachis dans la casserole.

Ajoutez les pâtes à potage, laissez cuire 2 ou 3 minutes, jusqu'à ce qu'elles soient bien tendres.

Passez alors la soupe au mixeur pour la velouter et transvasez-la dans un biberon (tétine à large débit). Présentez-le à votre bébé dès que la température lui convient.

Quand votre bébé sera un peu plus grand, vous pourrez lier la soupe avec un jaune d'œuf. Et si vous avez de la poule au riz au menu, pourquoi ne pas mixer un peu de blanc, un peu de légumes et un peu de riz avec du bouillon (dégraissé) ?

330
300
270
240
210
150
120
90
60

crème de riz aux carottes

6 mois

Préparation **10 minutes**
Cuisson **1 h 10**

2 **carottes**
2 branches de **persil plat**
1 c. à s. de **crème de riz** (10 g environ)
1 petite noisette de **beurre** (5 g environ)
1 petite pincée de **sel**

Pelez les carottes puis lavez-les soigneusement. Coupez-les en rondelles. Mettez-les dans une casserole avec le persil préalablement lavé, 1 litre d'eau et une toute petite pincée de sel. Portez à frémissement pendant 1 heure, sur feu doux.

Passez le contenu de la casserole au mixeur, puis reversez-le dans la casserole.

Ajoutez la crème de riz, délayez avec soin et laissez cuire 5 minutes en mélangeant.

Transvasez dans une assiette, ajoutez une petite noisette de beurre et mélangez jusqu'à ce que la température convienne à votre bébé. Vous pouvez aussi lui présenter la crème au biberon, avec une tétine à large débit.

Variante express à déguster dès 5 mois :
dans une casserole, délayez le contenu d'un petit pot à la carotte avec deux fois son volume d'eau ; lissez au fouet puis ajoutez la crème de riz, et continuez comme indiqué ci-dessus.

velours d'endives

6 mois

Préparation **20 minutes**
Cuisson **1 heure**

1 belle **endive**
1 **pomme de terre**
¼ de **citron**
1 morceau de **sucre**
1 c. à s. de **fromage blanc** battu à 40 % de matières grasses
quelques grains de **sel**

Épluchez l'endive, lavez-la et coupez-la en quatre dans la longueur. Pelez et lavez la pomme de terre, coupez-la en morceaux.

Mettez les légumes dans une casserole avec 1 litre d'eau froide, quelques gouttes de jus de citron pour garder l'endive bien blanche, quelques grains de sel et le morceau de sucre. Portez à frémissement pendant 1 heure sur feu doux.

Passez le contenu de la casserole au mixeur, incorporez le fromage blanc, délayez soigneusement et transvasez dans un biberon.

À partir de 9 mois, vous pouvez remplacer le fromage blanc par 1 cuillerée à soupe de crème fraîche.

soupe de légumes passée

5 mois

Préparation
10 à 15 minutes
Cuisson **1 à 2 heures**

Pour les quantités et la préparation, reportez-vous aux recettes des bouillons de légumes (pages 22, 24, 26, 28, 30, 32, 34) mais, au lieu de tamiser le bouillon, passez-le au mixeur avec ses légumes et incorporez une petite noisette de beurre.

- carottes, laitue, persil plat,
- haricots verts, persil plat,
- artichaut, pomme de terre, persil plat,
- courgette, tomate, persil,
- épinards, pomme de terre,
- potiron, poireaux, persil plat,
- endives, pomme de terre etc.

Vous pouvez appliquer ce principe à n'importe quelle soupe (ou presque).

soupe à la tomate

6 mois

Préparation **15 minutes**
Cuisson **20 minutes**

1 belle **tomate** bien mûre
1 **pomme de terre**
2 feuilles de **basilic**
1 c. à s. rase de **Maïzena**
1 petite noisette de **beurre** (5 g environ)
1 petite pincée de **sel**

Lavez la tomate, coupez-la en quartiers, épépinez-la. Pelez et lavez la pomme de terre. Lavez le basilic. Coupez le tout grossièrement.

Mettez les légumes dans une casserole avec 50 cl d'eau froide et une toute petite pincée de sel. Portez à frémissement pendant 20 minutes.

Passez le contenu de la casserole au mixeur, et reversez dans la casserole.

Délayez la Maïzena dans un peu d'eau froide, versez-la dans la casserole et délayez au fouet. Retirez du feu au premier bouillon.

Transvasez dans une assiette ou un biberon, ajoutez le beurre et mélangez jusqu'à ce que la température convienne à votre bébé.

Pour une soupe encore plus nourrissante, remplacez l'eau par du lait.

crème d'artichaut

6 à 9 mois

Préparation **15 minutes**
Cuisson **15 minutes**

1 **artichaut**
¼ de **citron**
2 branches de **persil plat**
1 noisette de **beurre** (5 g environ)
1 c. à s. de **farine**
20 cl de **lait**
quelques grains de **sel**

Lavez et épluchez l'artichaut à cru : cassez la queue, détachez les feuilles et le « foin » pour dégager le fond, et frottez-le aussitôt avec le citron pour l'empêcher de noircir. Faites-le cuire 30 minutes à la vapeur avec le persil lavé.

Dans une petite casserole, faites fondre le beurre sur feu doux sans le laisser colorer. Ajoutez la farine et délayez aussitôt jusqu'à ce que le mélange devienne lisse et homogène. Versez la moitié du lait, salez très légèrement et laissez cuire 5 minutes sur feu doux, sans cesser de mélanger avec une cuillère en bois ou un fouet, jusqu'à ce que la sauce épaississe. Retirez aussitôt du feu.

Passez le fond d'artichaut, le persil et la sauce au mixeur, jusqu'à ce que vous obteniez une crème lisse.

Versez dans une assiette et délayez avec le reste de lait chaud (vous pouvez aussi présenter la soupe dans un biberon, avec une tétine à large débit).

soupe au potiron

6 mois

Préparation **20 minutes**
Cuisson **35 minutes**

100 g de **potiron**
1 **pomme de terre**
2 branches de **persil plat**
20 cl de **lait**
1 petite noisette de **beurre** (5 g environ)
quelques grains de **sel**

Épluchez le potiron en éliminant l'écorce, les fibres et les graines. Pelez et lavez la pomme de terre. Lavez le persil. Coupez les légumes en gros dés. Faites-les cuire 30 minutes à la vapeur avec le persil.

Passez les légumes au mixeur, puis versez la purée obtenue dans une casserole. Délayez avec le lait, salez très légèrement et portez à frémissement 2 ou 3 minutes.

Pour servir, transvasez dans le biberon, ajoutez une petite noisette de beurre et laissez tiédir jusqu'à la température souhaitée, en secouant de temps en temps.

De temps à autre, remplacez la pomme de terre par 1/2 laitue ou 2 à 3 feuilles de bettes (sans côtes).

colin et pommes de terre à l'anglaise

6 mois

Préparation **10 minutes**
Cuisson **30 minutes**

20 g de **colin**
1 **pomme de terre**
2 c. à s. de **yaourt**
1 branche d'**aneth**
1 petite pincée de **sel**

Parez le poisson en éliminant les arêtes et tout petit morceau de peau.

Pelez et lavez la pomme de terre. Faites-la cuire 30 minutes à la vapeur ; 5 minutes avant la fin de la cuisson, ajoutez le poisson.

Quand tout est bien cuit, passez la pomme de terre et le poisson à la moulinette.

Mélangez la purée obtenue avec le yaourt, une toute petite pincée de sel et l'aneth lavé et finement ciselé. Donnez-la à votre bébé à la cuillère.

crème de coquillettes au jambon

8 mois

Préparation **10 minutes**
Cuisson **12 minutes**

30 à 50 g de **coquillettes** (ou autres pâtes au choix)
½ tranche de **jambon cuit** (jambon blanc bien maigre)
1 petite noisette de **beurre** (5 g environ)
1 petite pincée de **sel**

Jetez les coquillettes dans une casserole d'eau bouillante légèrement salée, et faites-les cuire 12 minutes environ.

Pendant ce temps, retirez la couenne et dégraissez bien le jambon.

Égouttez les coquillettes, passez-les au mixeur avec le jambon et une petite noisette de beurre, jusqu'à ce que vous obteniez une crème lisse et homogène.

Vous pouvez aussi faire cuire les coquillettes dans du lait (la cuisson est légèrement plus longue)… et même dans du lait sucré si vous ne mettez pas de jambon !

dorade au concombre

6 mois

Préparation **10 minutes**
Cuisson **25 minutes**

20 à 30 g de **dorade**
100 g de **concombre**
1 **pomme de terre**
2 c. à s. de **lait** bouilli
¼ de **citron**
1 petite pincée de **sel**

Parez la dorade en éliminant peau et arêtes.

Pelez le concombre, coupez-le en quatre dans la longueur et retirez les graines. Pelez et lavez la pomme de terre, coupez-la en morceaux.

Faites cuire les légumes 20 minutes à la vapeur, puis ajoutez la dorade et poursuivez la cuisson 5 minutes.

Passez les légumes au mixeur avec une toute petite pincée de sel et un peu de lait pour les réduire en purée. Transvasez dans une assiette.

Hachez finement la dorade, parsemez sur la purée de concombre et arrosez de quelques gouttes de jus de citron. Présentez à la cuillère.

blanc de poulet jardinière

5 mois

Préparation **20 minutes**
Cuisson **2 heures**

20 g de **blanc de poulet** (escalope)
1 **carotte**
1 **navet**
1 petite poignée de **haricots verts** frais
1 petite poignée de **petits pois frais**, en cosses
2 branches de **persil**
1 petite noisette de **beurre** (5 g environ)
1 petite pincée de **sel**

Pelez la carotte et le navet, lavez-les, coupez-les en dés. Effilez les haricots verts, lavez-les, coupez-les en petits morceaux. Écossez les petits pois. Lavez le persil.

Mettez tous les légumes dans une casserole d'eau froide avec une toute petite pincée de sel. Portez à frémissement pendant 2 heures sur feu très doux ; ajoutez le poulet 10 minutes avant la fin.

Mixez le contenu de la casserole avec une petite noisette de beurre.

Versez dans un biberon, en complétant éventuellement avec du lait.

À partir de 5 mois, donnez cette purée à la cuillère. À partir de 6 mois, ne faites plus cuire les légumes que pendant 1 heure. À partir de 9 mois, faites-les cuire 30 minutes seulement, et écrasez-les simplement à la fourchette (veillez à bien écraser les petits pois, avec lesquels un bébé peut s'étouffer).

Variante express Prélevez 20 g de blanc sur un poulet rôti et mixez-le avec 2 cuillerées à soupe de macédoine de légumes extra en boîte, bien rincée au préalable.

volaille pamplemousse rose

6 mois

Préparation **5 minutes**
Cuisson **5 minutes**

20 g de **blanc de volaille** au choix (poulet, pintade, dindonneau, poule)
½ **pamplemousse rose**
2 **petits-suisses** de 120 g à 40 % de matières grasses
2 branches de **cerfeuil**

Retirez la peau de la volaille et faites cuire le blanc 5 minutes à la vapeur.

Pendant ce temps, pelez le pamplemousse à vif (c'est-à-dire en entamant la chair), détaillez les quartiers en éliminant les membranes et les pépins. Écrasez la pulpe à la fourchette, avec les petits-suisses.

Quand le blanc de volaille est cuit, hachez-le avec le cerfeuil préalablement lavé, et incorporez-le à la crème au pamplemousse. Donnez à votre bébé à la cuillère.

Quand votre bébé sera plus grand, vous pourrez faire cuire les quartiers de pamplemousse 5 minutes à l'étouffée dans une petite casserole avec une noisette de beurre et 2 cuillerées à soupe d'eau, avant d'ajouter 1 cuillerée à soupe de crème fraîche et de délayer.

dinde à la purée de marrons

8 mois

Préparation **20 minutes**
Cuisson **10 minutes**

20 à 30 g d'**escalope de dinde** selon l'âge de votre bébé
80 à 100 g de **marrons** au naturel (8 à 10)
1 petite branche de **céleri**
100 g de **fromage blanc** à 40 % de matières grasses
1 petite noisette de **beurre** (5 g environ)
1 petite pincée de **sel**

Faites cuire l'escalope de dinde à la vapeur 5 à 10 minutes selon son poids et son épaisseur, puis coupez-la en petits dés.

Rincez bien les marrons, lavez les feuilles de la branche de céleri.

Mettez le tout dans le mixeur avec les dés de viande, le fromage blanc et une toute petite pincée de sel. Réduisez en crème lisse et homogène.

Mettez la purée obtenue dans une petite casserole avec une petite noisette de beurre. Placez sur feu doux, juste pour réchauffer.

Versez dans une assiette.

Une bonne idée pour que votre bébé participe lui aussi à la fête de Noël ! S'il y a de la dinde rôtie au menu familial, prélevez-lui un petit morceau de blanc, mais dans ce cas, ne salez pas !

noisette d'agneau à la courgette

6 mois

Préparation **15 minutes**
Cuisson **25 minutes**

1 petite **côte première d'agneau**
1 **courgette**
1 branche de **menthe verte, fraîche**
1 c. à s. de **yaourt nature**
1 petite pincée de **sel**

Coupez la queue et le bout arrondi de la courgette. Lavez-la soigneusement sans la peler puis coupez-la en petits tronçons.

Mettez-les dans une casserole avec 50 cl d'eau froide, une toute petite pincée de sel et la branche de menthe bien lavée. Portez à frémissement sur feu doux pendant 20 minutes, à couvert.

En même temps, faites griller la côtelette à point, puis dégagez la noisette et hachez-la finement.

Quand la courgette est bien cuite, retirez la menthe, égouttez si besoin est, et versez le contenu de la casserole dans une assiette. Écrasez bien la courgette à la fourchette, incorporez le yaourt et parsemez de hachis d'agneau. Donnez à la cuillère.

poulet à la banane

6 mois

Préparation **10 minutes**
Cuisson **10 minutes**

30 g de **blanc de poulet** rôti
1 **banane** bien mûre
¼ **citron**
2 branches de **cerfeuil**
1 petite noisette de **beurre**

Lavez la banane et faites-la cuire, dans sa peau, 10 minutes au four à 220 °C, ou à la vapeur.

Pendant ce temps, passez le poulet à la moulinette après avoir retiré la peau.

Quand la banane est cuite, ouvrez-la, prélevez la pulpe et écrasez-la dans une assiette avec une petite noisette de beurre et quelques gouttes de jus de citron. Ne mettez que la moitié de la banane si votre bébé est encore petit.

Ajoutez le hachis de poulet et les pluches de cerfeuil finement ciselées. Mélangez bien avant de le donner à votre bébé.

°C

mousse au jambon

5 mois

Préparation **10 minutes**

½ tranche de **jambon cuit** (jambon blanc) bien maigre
2 branches de **persil**
100 g de **fromage blanc** battu à 40 % de matières grasses

Retirez la couenne et dégraissez parfaitement le jambon. Lavez le persil.

Hachez ensemble, au mixeur, le jambon et le persil, en incorporant le fromage blanc.

Transvasez la mousse dans une petite coupelle et donnez-la à votre bébé à la cuillère.

Variante originale Remplacez le fromage blanc par ½ banane.

purée rose au jambon

5 mois

Préparation **20 minutes**

300 g de **purée de pommes de terre** (recette p. 86)
½ tranche de **jambon cuit** (jambon blanc) bien maigre
1 petite noisette de **beurre** (5 g environ)

Préparez environ 300 g de purée de pommes de terre à l'ancienne.

Retirez la couenne et dégraissez parfaitement la demi-tranche de jambon. Passez-la à la moulinette ou au mixeur.

Versez la purée dans une assiette, ajoutez le jambon haché et une petite noisette de beurre. Mélangez parfaitement. Donnez la purée à votre bébé à la cuillère.

Variante gourmande Faites une purée, moitié pommes de terre, moitié fond d'artichaut, avant d'incorporer le jambon.

petit couscous au poulet

8 mois

Préparation **20 minutes**
Cuisson **45 minutes**

20 à 30 g d'**escalope de poulet**
30 g de **semoule de blé** (couscous)
1 **carotte**
1 **navet**
½ **courgette**
1 petite branche de **céleri**
2 branches de **coriandre**
1 petite noisette de **beurre** (5 g environ)
1 petite pincée de **sel**

Mettez la semoule dans un bol avec un verre d'eau tiède. Laissez gonfler.

Pelez et lavez la carotte et le navet, coupez-les en petits morceaux. Lavez la courgette sans la peler, coupez-la en petits tronçons. Épluchez la branche de céleri, coupez-la en petits morceaux. Lavez et ciselez finement la coriandre.

Mettez tous ces légumes dans une casserole avec 1 litre d'eau et une petite pincée de sel. Portez à frémissement sur feu doux pendant 30 minutes. Ajoutez le blanc de poulet et poursuivez la cuisson 10 minutes.

Faites cuire la semoule à la vapeur 10 minutes.

Pour servir, versez la semoule dans une assiette, arrosez de bouillon tamisé au chinois. Passez le poulet et les légumes à la moulinette et mélangez-les à la semoule, avec une noisette de beurre.

Vous pouvez aussi faire cuire la semoule dans un verre de lait. Mais ne mettez ni raisins secs, ni pois chiches dans la semoule de votre bébé (ou alors bien mixés) : il risquerait de s'étouffer…

pintade à la mousse de pommes

7 mois

Préparation **15 minutes**
Cuisson **10 minutes**

30 g de **blanc de pintade**, prélevés sur le plat familial
1 **pomme** (reinette ou golden)
100 g de **fromage blanc** à 40 % de matières grasses

Pelez la pomme, coupez-la en quartiers en éliminant le centre et les pépins. Faites cuire les quartiers 10 minutes à la vapeur.

Passez-les au mixeur avec le fromage blanc. Transvasez dans une assiette.

Retirez la peau du morceau de pintade et passez-le à la moulinette.

Pour servir, parsemez de ce hachis la mousse de pomme.

escalope de loup (bar) au fenouil

6 mois

Préparation **10 minutes**
Cuisson **30 minutes**

20 g de **loup**
½ bulbe de **fenouil**
(100 g environ)
2 c. à s. de **béchamel**
(recette p. 202)

Parez le loup en éliminant la peau et les arêtes.

Épluchez soigneusement le bulbe de fenouil, lavez-le et faites-le cuire 30 minutes à la vapeur (ou à l'eau). 5 minutes avant la fin de la cuisson, ajoutez le loup dans le cuit-vapeur (ou faites-le griller séparément).

Mixez le bulbe de fenouil en purée en y incorporant la béchamel. Transvasez dans une assiette.

Hachez finement le loup, parsemez la purée de fenouil de ce hachis. Présentez à votre bébé à la cuillère.

Vous pouvez remplacer la béchamel par une pomme de terre cuite en même temps que le fenouil.

Le même poisson s'appelle « loup » sur la côte méditerranéenne, et « bar » sur la côte atlantique.

lapin à la polenta

8 mois

Préparation **10 minutes**
Cuisson **25 minutes**

30 g de **polenta**
30 g de **râble**, prélevés sur le plat familial
1 **carotte**
20 cl de **lait**
1 petite noisette de **beurre** (5 g environ)
1 petite pincée de **sel**

Pelez et lavez la carotte, coupez-la en rondelles, faites-la cuire 20 minutes à la vapeur.

Pendant ce temps, versez le lait dans une petite casserole. Ajoutez le beurre et une toute petite pincée de sel. Portez à frémissement sur feu doux.

Jetez alors la semoule en pluie, laissez cuire quelques minutes sur feu doux, sans cesser de remuer avec une cuillère en bois, jusqu'à épaississement. Retirez aussitôt du feu.

Étalez la semoule dans une assiette. Ajoutez le lapin passé à la moulinette avec les rondelles de carotte. Mélangez jusqu'à ce que la température convienne à votre bébé.

hachis Parmentier de bébé

6 mois

Préparation **20 minutes**
Cuisson **10 minutes**

300 g de **purée** de pommes de terre (recette p. 86)
20 g de **steak de bœuf** haché
2 c. à s. de **lait concentré non sucré**
1 petite noisette de **beurre** (5 g environ)

Préparez environ 300 g de purée de pommes de terre à l'ancienne.

Beurrez un petit plat (ou un grand ramequin) allant au four. Étalez-y le steak haché en couche uniforme. Recouvrez avec la purée, en lissant bien la surface. Arrosez de lait concentré, bien régulièrement. Parsemez de beurre en petits copeaux raclés très finement.

Enfournez dans le four préchauffé. Laissez cuire 10 minutes à 220 °C ou, si vous préférez, à la vapeur (en protégeant la surface du plat d'une feuille d'aluminium pour empêcher que la condensation ne retombe à l'intérieur du plat).

Renversez le hachis sur une assiette et donnez-le à votre bébé à la cuillère dès que la température est bonne.

purée à l'ancienne

5 mois

Préparation **20 minutes**
Cuisson **35 minutes**

250 g de **pommes de terre**
10 cl de **lait**
1 noisette de **beurre** (5 g environ)
1 pincée de **sel**

Épluchez les pommes de terre, lavez-les, coupez-les en morceaux, mettez-les dans une casserole, recouvrez-les d'eau froide, salez très légèrement, portez à frémissement pendant 30 minutes.

Quand elles sont bien cuites, égouttez-les, écrasez-les finement à la fourchette ou passez-les au moulin à légumes, ou encore au mixeur.

Recueillez la purée dans une casserole, placez sur feu doux et travaillez à la spatule, en incorporant peu à peu le lait chaud, puis le beurre en petits copeaux. Battez vigoureusement et retirez du feu dès que la purée est assez chaude.

Transvasez dans une assiette.

Vous pouvez aussi lier la purée avec un jaune d'œuf, hors du feu. Quand votre bébé sera plus grand, vous pourrez incorporer 1 cuillerée à café de crème fraîche.

coulis de tomates

6 mois

Préparation **15 minutes**
Cuisson **20 minutes**

1 belle **tomate** bien mûre (ou 2 olivettes)
1 petit **oignon** frais
1 **gousse d'ail**
1 c. à c. d'**huile d'olive vierge extra**, première pression à froid
1 brin de **thym**
½ feuille de **laurier**
1 pincée de **sel**

Faites chauffer l'huile d'olive dans une petite casserole (elle ne doit surtout pas fumer), faites-y blondir l'oignon finement émincé ou haché.

Ajoutez les tomates pelées, épépinées et grossièrement concassées, l'ail pelé et écrasé, le thym et le laurier. Salez très légèrement. Mélangez. Laissez mijoter 20 minutes sur feu très doux.

Retirez le thym et le laurier, puis mixez avant d'utiliser comme indiqué dans la recette choisie.

sauce verte au fromage blanc

5 mois

Préparation **10 minutes**

100 g de **fromage blanc** battu à 40 % de matières grasses
1 petit bouquet d'**herbes aromatiques** (persil, cerfeuil, estragon, ciboulette, basilic, menthe, etc.)
¼ de **citron**
1 pincée de **sel**

Triez, lavez, essorez et ciselez très finement les herbes (hachez-les si votre bébé a moins de 9 mois).

Incorporez-les au fromage blanc, ainsi qu'une toute petite pincée de sel et quelques gouttes de jus de citron. Mélangez bien.

Servez à votre bébé pour accompagner des crudités (carottes ou radis hachés) ou du poisson.

À partir de 9 mois, vous pouvez ajouter à la sauce 1 petite cuillerée de crème fraîche.

poires au tilleul

4 mois

Préparation **10 minutes**
Cuisson **10 minutes**

1 petite poignée de **tilleul** en vrac
2 petites **poires** mûres et fondantes

Préparez une infusion avec le tilleul et 20 cl d'eau chaude.

Pelez les poires, coupez-les en quartiers en éliminant les parties dures du centre et les pépins, recoupez-les en gros dés ou en lamelles.

Mettez-les dans une petite terrine, recouvrez avec le tilleul tamisé au chinois, laissez macérer pendant 2 heures au frais.

Versez les poires dans une casserole, en ne conservant que 2 cuillerées à soupe de jus. Portez à frémissement sur feu doux et laissez cuire 10 minutes à peine, jusqu'à ce que les poires soient tendres.

Passez-les au mixeur pour les réduire en coulis.

Transvasez dans une coupelle et laissez tiédir.

compote de poires

4 mois

Préparation **10 minutes**
Cuisson **10 minutes**

2 petites **poires** juteuses

Pelez les poires, coupez-les en quartiers en éliminant les parties dures du centre et les pépins, recoupez-les en gros dés ou en lamelles et mettez-les dans une casserole. Ajoutez 1 cuillerée à soupe d'eau. Laissez cuire 10 minutes à feu doux, jusqu'à ce que les poires soient bien fondues.

Passez-les alors au mixeur pour les réduire en coulis.

Transvasez dans une coupelle et laissez tiédir.

Compote de poires à la vanille Ajoutez une gousse de vanille fendue et raclée dans la casserole.

compote de pêches

4 mois

Préparation **5 minutes**
Cuisson **10 minutes**

2 petites **pêches** bien mûres
1 sachet de **sucre vanillé**
le jus de ½ **citron**

Pelez les pêches, ouvrez-les, dénoyautez-les, coupez-les en quartiers et mettez-les dans une casserole avec le sucre vanillé et le jus de citron. Portez sur feu doux et laissez cuire 10 minutes à peine, à couvert.

Passez le contenu de la casserole au mixeur et réduisez en compote.

Transvasez dans une coupelle et laissez tiédir.

compote de pommes

4 mois

Préparation **10 minutes**
Cuisson **20 minutes**

1 ou 2 **pommes à cuire**, selon l'âge de votre bébé (reinette, reine des reinettes, clochard, reinette grise, Canada, boskoop, cox orange, golden delicious)
le jus de ½ **citron**

Pelez les pommes, coupez-les en quartiers, éliminez les parties dures du centre et les pépins, recoupez-les en lamelles ou en gros dés et mettez-les dans une casserole.

Arrosez-les aussitôt avec le jus de citron pour les empêcher de noircir, et ajoutez 1 à 3 cuillerées à soupe d'eau. Ne mettez du sucre (1 cuillerée à soupe ou un sachet de sucre vanillé) que si la variété choisie est un peu acide. Laissez cuire 15 à 20 minutes à feu doux, jusqu'à ce que les pommes se défassent complètement, en mélangeant de temps en temps.

Si votre bébé est encore tout petit, passez la compote au mixeur pour lui donner le grain le plus fin possible.

banane en compote

4 mois

Préparation **10 minutes**
Cuisson **10 minutes**

1 **banane** bien mûre, mais non talée
1 sachet de **sucre vanillé** (facultatif)

Lavez soigneusement la banane en la brossant légèrement. Faites-la cuire 10 minutes à la vapeur.

Présentez la banane entière sur une assiette. Fendez la peau sur les côtés et détachez la peau du dessus, comme un couvercle : la banane est bien cuite à l'intérieur et s'écrase toute seule en compote, à la cuillère. Éventuellement, saupoudrez de sucre vanillé.

Laissez tiédir à température ambiante avant de faire déguster à votre bébé.

Si votre bébé est plus grand, vous pouvez ajouter un peu de crème fraîche sur la banane. À défaut d'instrument adéquat pour la cuisson (cuit-vapeur, couscoussier, panier métallique, etc.), une passoire en aluminium posée sur une casserole d'eau bouillante peut très bien faire l'affaire (comptez alors 20 minutes de cuisson, en retournant la banane au bout de 10 minutes). Vous pouvez aussi, tout simplement, faire pocher la banane entière dans une casserole d'eau bouillante.

pomme poire au miel

4 mois

Préparation **10 minutes**
Cuisson **15 minutes**

1 **pomme à cuire**
1 **poire** fondante
1 c. à c. de **miel** liquide
(acacia, tilleul, mille fleurs)

Pelez les fruits, coupez-les en quartiers, éliminez les parties dures du centre et les pépins, recoupez-les en lamelles ou en gros dés et mettez-les dans une casserole avec 1 cuillerée à soupe d'eau. Laissez cuire 15 minutes à feu très doux, jusqu'à ce que les fruits soient tendres.

Passez-les alors au mixeur pour les réduire en compote lisse.

Versez dans une coupelle et incorporez le miel. Laissez refroidir complètement.

pomme cannelle

4 mois

Préparation **10 minutes**
Cuisson **20 minutes**

1 ou 2 **pommes à cuire**, selon l'âge de votre bébé
le jus de ½ **citron**
1 petite pincée de **cannelle** en poudre

Pelez les pommes, coupez-les en quartiers, éliminez les parties dures et les pépins, recoupez-les en gros dés et mettez-les à cuire dans une casserole.

Arrosez-les de jus de citron pour qu'elles ne noircissent pas puis ajoutez 1 à 2 cuillerées à soupe d'eau. Ne mettez 1 cuillerée à soupe de sucre que si la variété de pommes choisie est un peu acide. Laissez cuire 15 à 20 minutes à feu doux. Ajoutez une pincée de cannelle à mi-cuisson. Mélangez de temps en temps. Les pommes doivent être complètement défaites à la fin de cuisson.

de 9 à 12 mois

chocolat à l'ancienne

9 mois

Préparation **5 minutes**

1 c. à c. rase de **cacao amer** en poudre
1 c. à s. de **sucre en poudre** (10 g environ)
20 cl de **lait**

Dans un bol, délayez le cacao avec le sucre en poudre et quelques gouttes d'eau, de manière à obtenir une pâte homogène, sans grumeaux.

Ajoutez alors le lait chaud, petit à petit, tout en délayant.

Quand la préparation est bien homogène, versez-la dans une petite casserole. Laissez cuire à feu doux sans cesser de fouetter jusqu'à ce que le chocolat commence à mousser.

Transvasez alors dans un biberon, et donnez-le à votre bébé dès que la température lui convient.

Ne confondez pas cacao en poudre (non sucré), et chocolat en poudre (sucré) ! Vous obtiendrez une boisson bien plus onctueuse et bien meilleure avec le premier !

lait de poule au cacao

9 mois

Préparation **5 minutes**

1 **œuf**
1 c. à s. de **sucre en poudre** (10 g environ)
1 c. à c. rase de **cacao en poudre**, non sucré
20 cl de **lait**

Cassez l'œuf en séparant le blanc du jaune, ne conservez que le jaune, en éliminant les germes. Mettez-le dans un bol.

Ajoutez le sucre en poudre et le cacao, battez quelques minutes au fouet.

Délayez peu à peu avec le lait chaud ou froid, mais préalablement bouilli.

Donnez à boire au bol, au verre ou au biberon.

260
240
220
200
180
160
7

corn flakes au yaourt

9 mois

Préparation **10 minutes**

2 bonnes c. à s. de **corn flakes** (10 g environ)
1 **yaourt** nature
1 c. à s. de **sucre en poudre** (10 g environ)
½ **pomme** (reinette ou golden)
¼ de **citron**

Mettez les corn-flakes dans une assiette. Versez le yaourt par-dessus. Ajoutez le sucre en poudre.

Pelez la pomme et râpez-la directement sur les corn flakes, en éliminant les parties dures du centre et les pépins. Arrosez aussitôt avec quelques gouttes de jus de citron pour l'empêcher de noircir.

Mélangez soigneusement.

Selon l'âge de votre bébé, vous pouvez varier la composition de cette préparation aux corn flakes à plaisir : lait condensé sucré, jus d'orange, noix de coco râpée, amandes ou noisettes hachées, etc.

fondant au fromage

12 mois

Préparation **10 minutes**

2 **petits-suisses** (120 g)
1 noix de **roquefort**
ou de **bleu d'Auvergne**
(10 g environ)
1 petite branche de **céleri**

Mixez les petits-suisses, le roquefort et les feuilles de céleri bien lavées, jusqu'à ce que vous obteniez une crème lisse et homogène.

Transvasez dans un petit ramequin.

ramequins tapioca petits-suisses

12 mois

Pour **3 ramequins**
Préparation **10 minutes**

Cuisson **40 minutes**
40 g de **tapioca**
2 **petits-suisses** à 40 % de matières grasses
20 cl de **lait**
40 g de **beurre**
40 g de **sucre en poudre**
2 **œufs**

Mettez le lait, 30 g de beurre et le sucre en poudre dans une petite casserole. Portez à frémissement. Jetez aussitôt le tapioca en pluie, et laissez cuire 7 minutes sans cesser de mélanger avec une cuillère en bois, afin que la préparation n'attache pas.

Hors du feu, incorporez les petits-suisses, puis les œufs entiers, en battant vigoureusement.

Versez dans les ramequins préalablement beurrés avec le reste de beurre.

Faites cuire au four 30 minutes, à 180 °C, au bain-marie (dans la plaque creuse du four remplie d'eau bouillante), ou 20 minutes à la vapeur (dans ce cas, recouvrez chaque ramequin d'un carré de papier d'aluminium pour empêcher la condensation de retomber dans les ramequins).

Servez tiède ou froid.

pancakes au sirop d'érable

12 mois

Pour **4 pancakes** environ
Préparation **15 minutes**
Cuisson **25 minutes**

20 cl de **lait**
30 g de **beurre**
80 g de **farine**
1 c. à s. bombée
de **sucre en poudre**
1 c. à c. de **levure chimique**
1 **œuf**
1 cube de **lard gras frais**
(50 g environ)
sirop d'érable
1 petite pincée de **sel**

Versez le lait dans une petite casserole. Ajoutez le beurre. Laissez chauffer sur feu doux jusqu'à ce que le beurre ait fondu. Retirez aussitôt du feu.

Dans une terrine, mélangez la farine, le sucre, la levure et le sel. Creusez un puits et cassez-y l'œuf entier. Travaillez au fouet jusqu'à ce que la pâte soit lisse et homogène. Délayez alors avec le lait pour obtenir une pâte fluide.

Faites chauffer une poêle de petit diamètre, sur feu moyen. Quand elle est bien chaude, graissez-la à l'aide du morceau de lard piqué au bout d'une fourchette, puis versez-y rapidement 2 cuillerées à soupe de pâte. Étalez-la en inclinant la poêle en tous sens, de manière à obtenir une petite crêpe assez épaisse. Laissez cuire la première face 2 à 3 minutes, puis retournez la crêpe et faites-la cuire 1 minute sur la deuxième face.

Procédez ainsi jusqu'à épuisement de la pâte, sans oublier de graisser la poêle entre deux crêpes.

Rangez les pancakes sur une assiette. Servez-les tièdes, après les avoir arrosés de 1 cuillerée à café de sirop d'érable.

porridge

9 mois

Préparation **10 minutes**

50 g de **flocons d'avoine**
25 cl de **lait**
1 c. à s. de **sucre en poudre** (10 g environ)

Mettez les flocons d'avoine et le lait dans une petite casserole. Mélangez soigneusement. Mettez sur feu doux et laissez cuire jusqu'à frémissement (attention, les flocons d'avoine n'empêchent pas le lait de monter), sans cesser de mélanger avec une cuillère en bois pour que la préparation n'attache pas. Retirez du feu dès que la masse épaissit.

Versez les flocons d'avoine dans un bol, ajoutez le sucre en poudre, mélangez jusqu'à ce que la température convienne à votre bébé.

Vous pouvez aussi utiliser des flocons d'avoine instantanés, que vous n'aurez pas besoin de faire cuire. Dans ce cas, comptez 20 cl de lait seulement… mais le porridge ne sera pas aussi moelleux ! Quand votre bébé aura grandi, vous pourrez ajouter quelques noisettes hachées.

brioche à la coque

12 mois

Préparation **10 minutes**
Cuisson **10 minutes**

1 petite **brioche** à chapeau
1 petite noisette de **beurre**
1 **œuf**
1 c. à c. de **crème fraîche**
noix de muscade

Retirez le chapeau de la brioche, creusez-la légèrement sans l'abîmer. Beurrez légèrement l'intérieur de la brioche et cassez-y l'œuf entier.

Ajoutez 1 petite cuillerée de crème fraîche et râpez un soupçon de noix de muscade.

Enfournez dans le four préchauffé. Faites cuire 10 minutes à 220 °C : le blanc de l'œuf doit être complètement coagulé.

cake aux carottes

12 mois

Pour **1 cake**
Préparation **15 minutes**
Cuisson **45 minutes**

300 g de **carottes**
100 g de **noisettes** décortiquées ou d'**amandes** mondées
4 **œufs**
150 g de **sucre en poudre**
1 **citron**
100 g de **farine**
1 sachet de **levure chimique**
20 g de **beurre**

Pelez, lavez et râpez les carottes.

Passez les noisettes au mixeur pour les réduire en poudre.

Cassez les œufs en séparant les blancs des jaunes. Travaillez les jaunes dans une terrine avec le sucre en poudre jusqu'à ce que le mélange blanchisse et devienne mousseux. Incorporez alors le jus du citron puis, cuillerée par cuillerée, la farine, et enfin la levure. Ajoutez les carottes et les noisettes à ce mélange.

Montez les blancs d'œufs en neige ferme. Incorporez-les délicatement à la préparation, en les enrobant sans les casser.

Beurrez un moule à cake et versez-y la préparation en lissant la surface.

Enfournez dans le four préchauffé. Laissez cuire 45 minutes à 200 °C.

Laissez refroidir complètement avant de démouler. Donnez-en une tranche à votre bébé pour son petit-déjeuner.

Ce cake se conserve 5 ou 6 jours sans sécher si vous prenez soin de l'envelopper dans une feuille de papier d'aluminium.

muffins au riz

12 mois

Pour **4 muffins** environ
Préparation **15 minutes**
Cuisson **35 minutes**

30 g de **riz**
50 g de **farine**
1 c. à s. de **sucre en poudre** (10 g environ)
1 **œuf**
20 g de **beurre**
10 cl de **lait**

Lavez le riz et jetez-le dans une casserole d'eau bouillante. Laissez cuire pendant 15 minutes, puis égouttez.

Dans une terrine, mélangez la farine et le sucre, creusez un puits, cassez-y l'œuf entier, et versez-y la moitié du beurre juste fondu. Travaillez jusqu'à obtention d'une pâte homogène, sans grumeaux, puis délayez avec le lait.

Incorporez alors le riz et mélangez jusqu'à ce qu'il soit bien réparti.

Versez cette préparation dans des moules à tartelette préalablement beurrés avec le reste de beurre.

Mettez dans le four préchauffé. Laissez cuire 20 minutes environ à 220 °C.

Démoulez les muffins à la sortie du four, donnez-en un à votre bébé pour son petit-déjeuner, tiède ou froid (les autres se conservent plusieurs jours au réfrigérateur).

bouillon de cresson à l'œuf

9 mois

Préparation **15 minutes**
Cuisson **1 heure**

1 grosse poignée de **cresson**
1 **pomme de terre**
1 **jaune d'œuf**
quelques grains de **sel**

Triez le cresson et lavez-le soigneusement. Pelez et lavez la pomme de terre. Coupez-la en gros dés.

Mettez les légumes dans une casserole avec 1 litre d'eau froide et quelques grains de sel. Portez à frémissement sur feu doux pendant 1 heure.

Mixez la soupe et incorporez-y le jaune d'œuf, en fouettant vivement.

Donnez cette soupe à votre bébé au biberon… ou à la cuillère s'il est assez patient !

potage crème de riz

9 mois

Préparation **10 minutes**
Cuisson **30 minutes**

½ litre de **lait**
1 petite pincée de **sel**
1 petite pincée de **paprika doux**
25 g de **riz**
1 **tomate**
2 branches de **persil plat**
1 petite noisette de **beurre** (5 g environ)

Versez le lait dans une casserole, salez très légèrement et ajoutez une infime pincée de paprika doux. Portez à frémissement sur feu doux.

Jetez aussitôt le riz en pluie (préalablement lavé), la tomate pelée, épépinée et grossièrement concassée, et le persil lavé. Laissez mijoter 30 minutes sur feu très doux, jusqu'à ce que le riz soit bien cuit.

Passez le contenu de la casserole au mixeur pour le réduire en crème.

Transvasez dans une assiette, ajoutez une petite noisette de beurre et mélangez jusqu'à ce que la température convienne à votre bébé.

Version express Utilisez, à la place du riz, de la crème de riz ou de la semoule de riz. Petit rappel : pour peler facilement une tomate, il suffit de la plonger 30 secondes dans une casserole d'eau bouillante, ou de la passer 2 minutes à la vapeur.

330
300
270
240
210
ml - cc

crème de tapioca à l'œuf

9 mois

Préparation **5 minutes**
Cuisson **10 minutes**

25 cl de **lait**
1 c. à s. de **crème de tapioca**
1 **jaune d'œuf**
1 petite noisette de **beurre** (5 g environ)
noix de muscade
1 petite pincée de **sel**

Versez le lait dans une petite casserole, portez à frémissement, salez très légèrement et râpez un soupçon de noix de muscade. Puis jetez-y la crème de tapioca en pluie, et laissez cuire jusqu'à épaississement, sans cesser de mélanger. Versez aussitôt dans une assiette.

Incorporez alors le jaune d'œuf, préalablement délayé avec 1 cuillerée à soupe d'eau, en battant vigoureusement pour qu'il n'ait pas le temps de cuire. Vous pouvez aussi donner ce potage au biberon, avec une tétine à large débit.

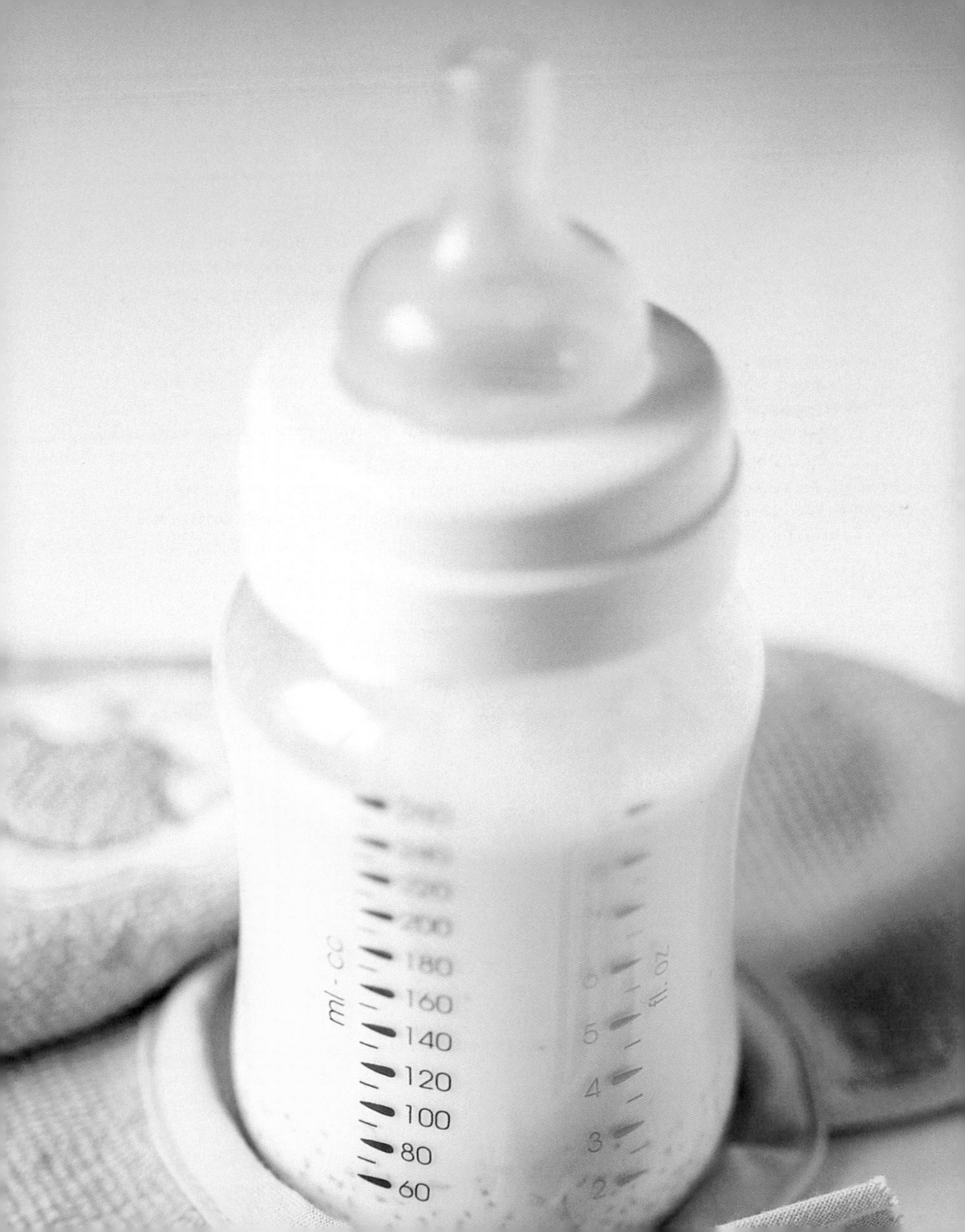
ml - cc
200
180
160
140
120
100
80
60
fl. oz
5
4
3
2

potage de crème de maïs

9 mois

Préparation **10 minutes**
Cuisson **15 minutes**

1 petite boîte de **maïs** doux en grains
25 cl de **lait**
1 petite noisette de **beurre** (5 g environ)
noix de muscade

Versez le maïs dans une passoire, rincez-le sous l'eau du robinet, égouttez-le soigneusement et passez-le au mixeur pour le réduire en fine purée bien lisse (au besoin, ajoutez 1 ou 2 cuillerées à soupe de lait bouilli).

Versez la purée obtenue dans une casserole, délayez avec le lait et râpez un soupçon de noix de muscade. Portez à frémissement sur feu très doux.

Pour servir, transvasez dans une assiette ou dans un biberon, et ajoutez une petite noisette de beurre. Présentez à votre bébé dès que la température lui convient.

Vous pouvez aussi faire cuire 1 cuillerée à soupe de semoule de maïs fine (10 g environ) dans le lait, avec quelques grains de sel… mais les enfants préfèrent souvent le maïs doux.

300
240
180
120
60
POLYCARBONATE
STERILISABLE · INCASSABLE

crème de laitue

9 mois

Préparation **10 minutes**
Cuisson **40 minutes**

1 **laitue**
2 branches de **persil plat**
1 **jaune d'œuf**
2 c. à s. de **lait**
¼ de **citron**
1 petite pincée de **sel**

Épluchez et lavez la laitue, coupez-la en quartiers. Lavez aussitôt le persil.

Mettez le tout dans une casserole avec 75 cl d'eau et une toute petite pincée de sel. Portez à frémissement pendant 40 minutes, sur feu doux.

Passez le contenu de la casserole au mixeur, puis versez la crème obtenue dans une assiette.

Dans un bol, mélangez le jaune d'œuf, le lait et quelques gouttes de jus de citron jusqu'à ce que vous obteniez une sauce fluide.

Versez-la dans l'assiette de votre bébé et battez vigoureusement pour lier la soupe sans cuire l'œuf !

La laitue a des propriétés adoucissantes, et passe en outre pour favoriser le sommeil. Une recette à essayer le soir !

crème de lentilles

9 mois

Préparation **15 minutes**
Cuisson **1 heure**

50 g de **lentilles**
1 **poireau**
1 **carotte**
2 branches de **persil plat**
1 brindille de **thym**
1 c. à s. de **crème fraîche** ou 50 g de **fromage blanc** battu à 40 % de matières grasses
1 petite pincée de **sel**

Lavez les lentilles. Épluchez et lavez le poireau en ne conservant que le blanc et un peu de vert. Pelez et lavez la carotte. Lavez le persil.

Mettez les lentilles, le poireau et la carotte en rondelles dans une casserole avec 75 cl d'eau froide, le persil et le thym. Portez à frémissement sur feu doux pendant 1 heure, en ne salant qu'à mi-cuisson pour ne pas durcir les légumes.

Passez le contenu de la casserole au mixeur après avoir ôté le thym.

Versez la crème de lentilles dans une assiette ; ajoutez la crème (ou le fromage blanc) et attendez que la température convienne à votre bébé.

Les lentilles sont riches en fer, tout le monde le sait. Mais on ne sait pas toujours qu'il ne sert absolument à rien de les faire tremper avant la cuisson !

crème de riz à la tomate

9 mois

Préparation **10 minutes**
Cuisson **25 minutes**

1 belle **tomate** bien mûre
50 cl de **lait**
2 ou 3 feuilles d'**estragon**
1 c. à s. de **crème de riz** (10 g environ)
1 petite pincée de **sel**

Lavez la tomate et plongez-la dans une casserole d'eau bouillante pendant 2 minutes. Retirez-la et passez-la sous l'eau fraîche : elle se pèle alors sans difficulté. Ouvrez-la et épépinez-la.

Mettez la pulpe dans une casserole avec le lait, les feuilles d'estragon lavées et une toute petite pincée de sel. Portez à frémissement sur feu doux pendant 20 minutes.

Passez le contenu de la casserole au mixeur et reversez-le dans la casserole.

Ajoutez la crème de riz, délayez soigneusement et laissez cuire 5 minutes en mélangeant.

Transvasez dans une assiette, ajoutez une petite noisette de beurre et mélangez jusqu'à ce que la température convienne à votre bébé.
Vous pouvez aussi lui présenter la crème au biberon, avec une tétine à large débit.

soupe filée à l'œuf

12 mois

Préparation **10 minutes**
Cuisson **10 minutes**

25 cl de **bouillon de volaille** dégraissé
20 g de **cantal** frais (ou d'emmental)
1 **œuf**

Versez le bouillon dans une casserole et portez à frémissement sur feu doux.

Pendant ce temps, râpez finement le fromage et battez l'œuf en omelette, dans un bol.

Quand la soupe frémit, retirez-la du feu et versez-y l'œuf battu, en délayant aussitôt au fouet pour faire « filer » l'œuf avant qu'il ne coagule entièrement.

Éparpillez le fromage dans une assiette, versez la soupe par-dessus et mélangez jusqu'à ce qu'il soit bien fondu.

soupe de légumes au pistou

12 mois

Préparation **20 minutes**
Cuisson **1 heure**

1 poignée de **haricots verts**
1 poignée de **petits pois** frais, en cosses
1 petite **courgette**
1 **tomate**
2 branches de **persil plat**
1 petite **pomme de terre**
1 petite gousse d'**ail** tendre
1 branche de **basilic**
20 g de **parmesan** râpé
2 c. à s. de **lait concentré** non sucré
quelques gouttes d'**huile d'olive vierge extra**, première pression à froid
1 petite pincée de **sel**

Effilez les haricots verts, écossez les petits pois, coupez la queue et le bout arrondi de la courgette sans la peler, coupez la tomate en quartiers et épépinez-la. Lavez tous les légumes et le persil.

Mettez les légumes dans une casserole avec 1 litre d'eau froide. Salez légèrement. Portez à frémissement pendant 1 heure sur feu doux.

Pour préparer le pistou, lavez la pomme de terre sans la peler et faites-la cuire 20 minutes à la vapeur ainsi que la gousse d'ail non pelée.

Pelez la pomme de terre. Dans le mixeur, mettez la pommes de terre, la crème d'ail, les feuilles de basilic et le parmesan râpé. Ajoutez 2 cuillerées à soupe du bouillon de cuisson des légumes et réduisez le tout en pommade, en incorporant peu à peu le lait concentré. Quand la soupe est cuite, passez-la au mixeur et versez-la dans une assiette. Incorporez le pistou et délayez jusqu'à ce que la température convienne à votre bébé. Au moment de servir la soupe, ajoutez quelques gouttes d'huile d'olive.

Cuit de cette façon, l'ail, riche en vitamine C, n'agressera pas le palais de votre bébé. Rappelons que le parmesan peut se révéler allergène chez certains enfants.

mini bortsch à la betterave

12 mois

Préparation **20 minutes**
Cuisson **2 heures**

100 g de **betterave rouge crue**
1 **carotte**
1 **poireau**
50 g de **steak de bœuf haché**
1 petite pincée de **sel**
1 c. à s. de **crème fraîche** ou de **fromage blanc** battu à 40 % de matières grasses

Pelez, lavez et coupez la betterave en petits dés. Pelez, lavez et coupez la carotte en rondelles. Épluchez, lavez et coupez le poireau en rondelles, en ne conservant que le blanc et un tiers du vert environ.

Mettez tous les légumes dans une casserole avec 150 cl d'eau froide, le steak haché et une toute petite pincée de sel. Mélangez soigneusement et portez à frémissement sur feu doux pendant 2 heures.

Tamisez la soupe au chinois (ne servez pas la garniture qui a perdu toute saveur), et versez-la dans une assiette ou dans un biberon. Ajoutez la crème fraîche ou le fromage blanc et délayez soigneusement (ou secouez). Donnez à votre bébé dès que la température lui convient.

Bien sûr, il ne s'agit pas de la classique recette russe, mais les enfants apprécient généralement la betterave, sucrée, très digeste et de surcroît bourrée de vitamines (A, B, C) et de sels minéraux. Et ne vous inquiétez pas si les selles de votre bébé se colorent en rouge, le jus de betterave est un colorant si puissant qu'il sert même à colorer… les glaces à la fraise !

filet de limande à la purée d'avocat

12 mois

Préparation **10 minutes**
Cuisson **15 minutes**

30 à 50 g de **filet de limande**
½ **avocat**
¼ de **citron**
1 gros **petit-suisse** (60 g)
2 branches de **cerfeuil**
paprika doux
1 pincée de **sel**

Parez le filet de limande en éliminant toute arête éventuelle.

Ouvrez l'avocat, retirez le noyau, frottez-en une moitié avec un peu de jus de citron pour l'empêcher de noircir, et faites-la cuire 10 minutes à la vapeur.

Ajoutez le filet de limande ; poursuivez la cuisson 5 minutes.

Prélevez la chair de l'avocat et passez-la au mixeur avec le petit-suisse, les pluches de cerfeuil préalablement lavées, une toute petite pincée de sel et un soupçon de paprika doux.

Pour servir, transvasez la purée d'avocat dans une assiette et effeuillez le filet de limande par-dessus.

petit rouget à l'oseille

9 mois

Préparation **15 minutes**
Cuisson **15 minutes**

1 petit **rouget de roche**
1 touffe d'**oseille**
1 petite noisette de **beurre**
¼ de **citron**
1 petite pincée de **sel**

Écaillez, videz et lavez le rouget en mettant son foie de côté.

Triez l'oseille, coupez les queues au ras des feuilles, retirez les grosses nervures, lavez-la soigneusement et passez-la 10 minutes à la vapeur.

Ajoutez le rouget et son foie, poursuivez la cuisson 5 minutes.

Parez alors le poisson en éliminant la peau et les arêtes (attention, il y en a de toutes petites et de très fines), puis mixez l'oseille en purée avec le beurre, le foie du rouget et une toute petite pincée de sel.

Transvasez la purée d'oseille dans une assiette, effeuillez le rouget par-dessus et arrosez de quelques gouttes de jus de citron.

petit flan de poisson

12 mois

Préparation **20 minutes**
Cuisson **45 minutes**

50 g de chair de **poisson blanc** poché ou rôti (cabillaud, dorade, sole, etc.)
3 branches de **cerfeuil**
10 g de **beurre**
1 c. à s. de **farine**
10 cl de **lait**
1 gros **petit-suisse** (60 g) à 40 % de matières grasses (ou 2 petits)
1 **œuf**
1 c. à s. de **coulis de tomates** (recette p. 88)
1 c. à s. de **crème fraîche**
2 branches de **cerfeuil**
noix de muscade
1 pincée de **sel**

Éliminez les arêtes et les petits morceaux de peau qui adhèrent à la chair. Lavez le cerfeuil. Hachez le poisson et le cerfeuil ensemble, assez finement.

Préparez une béchamel en délayant les deux tiers du beurre et la farine dans une petite casserole, sur feu doux. Quand le mélange est homogène, délayez avec le lait et laissez mijoter 5 minutes, sur feu doux, sans cesser de délayer au fouet jusqu'à ce que la sauce épaississe. Retirez du feu.

Hors du feu, salez et poivrez très légèrement, râpez un soupçon de noix de muscade, incorporez le hachis de poisson, le petit-suisse et mélangez très. Incorporez encore l'œuf entier, en continuant à battre au fouet.

Quand le mélange est bien lisse, versez-le dans un grand ramequin (10 cm de diamètre) préalablement beurré avec le reste de beurre.

Recouvrez le ramequin d'un carré de papier d'aluminium pour empêcher la condensation de retomber à l'intérieur du ramequin.
Faites cuire 30 minutes à la vapeur (ou 40 minutes à four moyen, au bain-marie).

Pendant la cuisson du flan, préparez la sauce en délayant le coulis de tomate et la crème fraîche. Incorporez le cerfeuil lavé et très finement ciselé.

Démoulez sur une assiette, nappez de sauce.

cabillaud petits légumes

12 mois

Préparation **10 minutes**
Cuisson **30 minutes**

20 à 50 g de **cabillaud** (selon l'âge)
1 **carotte**
1 **navet**
1 poignée de **petits pois** frais, en cosses
1 petite noisette de **beurre** (5 g environ)
¼ de **citron**

Pelez et lavez la carotte. Pelez et lavez le navet. Écossez les petits pois. Faites-les cuire 30 minutes à la vapeur.

Pendant ce temps, parez le morceau de cabillaud en éliminant toute arête ou petit morceau de peau. 5 minutes avant la fin de la cuisson, ajoutez le poisson aux légumes.

Hachez séparément le poisson, la carotte, le navet et les petits pois, en incorporant un copeau de beurre (raclé très fin) à chaque légume. Disposez ces petits tas colorés dans une assiette, en les alternant harmonieusement. Arrosez le poisson de quelques gouttes de jus de citron.

cabillaud bettes champignons

9 mois

Préparation **10 minutes**
Cuisson **20 minutes**

30 à 50 g de **cabillaud**
1 poignée de **feuilles de bettes**
2 beaux chapeaux de **champignons de Paris**
1 noisette de **beurre**
¼ de **citron**
1 petite pincée de **sel**

Parez le morceau de cabillaud en éliminant toute arête ou petit morceau de peau. Escalopez-le en fines lamelles.

Épluchez soigneusement les feuilles de bettes en retirant les côtes et les grosses nervures. Lavez-les et passez-les 10 minutes à la vapeur. Rafraîchissez-les et ciselez-les grossièrement.

Pelez les champignons, essuyez-les avec un torchon humide et hachez-les menu au couteau.

Sur une feuille de papier sulfurisé, disposez le vert des bettes et le hachis de champignons. Étalez les lamelles de poisson par-dessus. Ajoutez une petite noisette de beurre et une toute petite pincée de sel. Refermez en forme de papillote. Faites cuire 8 minutes à la vapeur.

Pour servir, dépliez la papillote dans une assiette, et arrosez de quelques gouttes de jus de citron.

raie pochée au lait

12 mois

Préparation **5 minutes**
Cuisson **5 minutes**

60 g de **raie**
20 cl de **lait**
1 pincée de **sel**

Lavez la raie en raclant bien la partie gluante. Mettez-la dans une casserole avec le lait et une toute petite pincée de sel. Portez à frémissement sur feu doux pendant 5 minutes à peine.

Égouttez la raie et parez-la en éliminant la peau et les cartilages. Hachez-la et incorporez-en 20 g au biberon de votre bébé.

La raie doit être très fraîche, sinon elle prend une odeur et un goût d'ammoniac que votre bébé n'apprécierait guère !

Si votre bébé est plus âgé, écrasez la raie à la fourchette dans son assiette, avec une petite noisette de beurre, et servez-la lui avec une purée de pommes de terre, une mousse de persil, une purée de courgette au cerfeuil ou un tian de feuilles de bettes.

purée à la coque

9 mois

Préparation **20 minutes**

300 g de **purée de pommes de terre** (recette p. 86)
1 **œuf extra-frais** (ou frais pondu si vous habitez à la campagne)
1 noisette de **beurre** (5 g environ)

Préparez environ 300 g de purée de pommes de terre à l'ancienne.

Versez-la dans une assiette, creusez une dépression au centre, avec le dos d'une cuillère, comme un nid.

Cassez l'œuf en séparant le blanc du jaune, ne conservez que le jaune, en éliminant les germes. Faites-le glisser dans le nid de purée.
Parsemez la purée de petits copeaux de beurre (raclés très fins), tout autour de l'œuf.

fond d'artichaut aux crevettes

12 mois

Préparation **15 minutes**
Cuisson **30 minutes**

1 **artichaut**
30 g de **crevettes** décortiquées
¼ de **citron**
2 branches de **cerfeuil**
100 g de **fromage blanc** battu à 40 % de matières grasses
1 pincée de **curry doux**

Lavez et épluchez l'artichaut à cru : cassez la queue, détachez les feuilles et le « foin » pour dégager le fond, et frottez-le aussitôt avec le citron pour l'empêcher de noircir. Faites-le cuire 30 minutes à la vapeur (ou à l'eau).

Passez-le sous l'eau froide pour le rafraîchir et faites-le s'égoutter sur un torchon.

Préparez alors la garniture : mélangez soigneusement le fromage blanc avec le curry doux et les pluches de cerfeuil préalablement lavées et finement ciselées. Incorporez les crevettes décortiquées et grossièrement hachées. Garnissez le fond d'artichaut avec cette préparation et disposez-le sur une assiette : vous écraserez le fond à la fourchette, au fur et à mesure que vous ferez manger votre bébé.

truite au vert

9 mois

Préparation **10 minutes**
Cuisson **20 minutes**

20 à 30 g de **truite**
1 petite **pomme de terre**
1 petite poignée de « **verdure** » au choix : feuilles de salade, de légumes (feuilles de bettes, feuilles de navets, fanes de radis) ou herbes
1 petite noisette de **beurre** (5 g environ)
1 petite pincée de **sel**

Parez le poisson en éliminant la peau et les arêtes.

Pelez et lavez la pomme de terre, coupez-la en morceaux. Triez la verdure, ôtez les queues et les grosses nervures, lavez-la soigneusement et passez-la 20 minutes à la vapeur avec la pomme de terre. 5 minutes avant la fin de la cuisson, ajoutez le petit filet de truite.

Mixez le tout en purée avec une petite noisette de beurre et une toute petite pincée de sel.

Servez à votre bébé à la cuillère, ou bien dans son biberon (tétine à large débit), en complétant avec du lait.

œuf à la coque

9 mois (jaune)
12 mois (blanc)

Préparation **5 minutes**
Cuisson **1 minute**

1 **œuf extra-frais**
(ou frais pondu si vous habitez à la campagne)
sel

Lavez l'œuf s'il est souillé, mettez-le dans une petite casserole, recouvrez-le entièrement d'eau froide, ajoutez une bonne pincée de sel pour empêcher l'œuf de s'échapper si la coquille se fendille pendant la cuisson. Portez à frémissement, puis laissez bouillir 1 minute.

Retirez aussitôt l'œuf de la casserole, passez-le sous l'eau froide pour arrêter la cuisson et pouvoir le manipuler facilement, placez-le sur un coquetier et coupez la calotte.

Si votre bébé a moins d'un an, donnez-lui seulement le jaune ; à partir d'un an, vous pouvez lui donner aussi le blanc.

Une autre méthode de cuisson consiste à plonger l'œuf (il ne faut pas qu'il sorte directement du réfrigérateur) dans l'eau bouillante. Comptez alors 3 minutes de cuisson.

œuf dur

Comptez 6 minutes de cuisson à partir du début de l'ébullition ou 9 minutes si vous plongez l'œuf dans l'eau bouillante.

œuf mollet

Le temps de cuisson est de 3 minutes à partir du début de l'ébullition ou de 6 minutes, si vous plongez l'œuf dans l'eau bouillante.

œuf au nid

9 mois

Préparation **10 minutes**
Cuisson **20 minutes**

100 g d'**épinards**
100 g de **fromage blanc** battu à 40 % de matières grasses
1 **œuf extra-frais** (ou frais pondu si vous habitez à la campagne)
quelques grains de **sel**

Triez les épinards, coupez les queues au ras des feuilles, retirez les grosses nervures, lavez-les soigneusement et faites-les cuire 20 minutes à la vapeur.

Essorez-les et passez-les au mixeur pour les réduire en purée.

Incorporez-les au fromage blanc, de manière à obtenir une crème lisse et homogène. Salez très légèrement.

Mettez cette crème verte dans une assiette, creusez en nid. Cassez l'œuf et déposez le jaune au creux du nid.

œuf brouillé

12 mois

Cuisson **10 minutes**

1 **œuf**
1 petite noisette de **beurre**
1 c. à s. de **crème fraîche**
1 petite pincée de **sel**

Beurrez un petit poêlon ou une petite casserole. Cassez-y l'œuf et crevez-le sans le battre. Salez très légèrement.

Placez le poêlon sur feu très doux (ou au bain-marie), et laissez cuire sur feu très doux, sans cesser de tourner avec une cuillère en bois.

Quand l'œuf est presque cuit, ajoutez la crème fraîche et tournez encore deux ou trois fois : le blanc de l'œuf doit rester moelleux, sans dessécher.

Faites glisser aussitôt dans l'assiette de votre bébé.

purée mimosa

12 mois

Préparation **20 minutes**
Cuisson **10 minutes**

300 g de **purée** de pommes de terre (recette page 86)
100 g de **fromage blanc** battu à 40 % de matières grasses
1 **œuf**

Préparez environ 300 g de purée de pommes de terre à l'ancienne.

Faites durcir l'œuf, passez-le sous l'eau froide et écalez-le.

Quand la purée est prête, incorporez-y le fromage blanc en battant vigoureusement pour obtenir une purée mousseuse et légère.

Avant de servir, passez l'œuf dur à la moulinette au-dessus de la purée.

purée au foie de poulet

9 mois

Préparation **20 minutes**
Cuisson **10 minutes**

300 g de **purée** de pommes de terre (recette page 86)
100 g de **fromage blanc** battu à 40 % de matières grasses
1 petit **foie de poulet** (50 g environ)
1 petite noisette de **beurre** (5 g environ)
1 petite pincée de **sel**

Préparez environ 300 g de purée de pommes de terre à l'ancienne.

Incorporez-lui le fromage blanc pour la rendre plus légère, en battant vigoureusement.

Parez le foie de poulet en éliminant les filaments sanguins et les parties éventuellement tachées de fiel. Plongez-le dans une casserole d'eau froide très légèrement salée, et faites-le pocher 10 minutes environ, jusqu'à ce qu'il soit cuit à cœur. Passez-le à la moulinette et incorporez-le à la purée.

tomate cocotte

12 mois

Préparation **5 minutes**
Cuisson **15 minutes**

1 belle **tomate**
1 **œuf**
1 c. à s. de **crème fraîche**
20 g de **roquefort**

Lavez et essuyez la tomate. Coupez-lui un chapeau. Creusez-la sans l'abîmer à l'aide d'une petite cuillère, en laissant adhérer environ 1 cm de chair à la peau.

Cassez l'œuf dans la tomate. Ajoutez la crème fraîche et le roquefort très finement émietté.

Faites cuire 10 à 15 minutes au four à 220 °C jusqu'à ce que l'œuf soit cuit. Replacez le chapeau sur la tomate 5 minutes avant la fin de la cuisson.

Servez à votre bébé dès qu'il ne risque plus de se brûler.

piccata de veau à l'orange

9 mois

Préparation **5 minutes**
Cuisson **5 minutes**

30 à 50 g de **noix de veau** (escalope)
1 petite noisette de **beurre** (5 g environ)
le jus de 1 **orange**
100 g de **fromage blanc** battu à 40 % de matières grasses
1 petite pincée de **sel**

Coupez la noix de veau en fines lamelles, presque transparentes.

Dans une petite casserole, faites fondre le beurre sans le laisser colorer, puis ajoutez aussitôt le jus d'orange et une toute petite pincée de sel. Portez à frémissement sur feu doux. Faites-y cuire les lamelles de veau pendant 3 à 4 minutes.

Si votre bébé est capable de manger ces lamelles telles quelles, donnez-les lui en garniture d'une purée de nouilles ou de coquillettes au lait, auxquelles vous incorporerez le jus de cuisson. Sinon, mixez-les avec le fromage blanc.

bœuf haché aux céréales

12 mois

Préparation **10 minutes**
Cuisson **10 minutes**

- 50 g de **steak de bœuf** haché
- 1 c. à s. de **flocons d'avoine**
- 1 **jaune d'œuf**
- 1 petite noisette de **beurre** (5 g environ)
- 1 feuille de **laitue** bien verte
- 1 petite pincée de **sel**

La veille au soir, mettez les flocons d'avoine dans un bol. Couvrez-les largement d'eau froide. Laissez gonfler au réfrigérateur.

Au moment du repas, malaxez le steak haché avec les flocons d'avoine égouttés (mais ils ont sûrement absorbé toute l'eau), le jaune d'œuf et une petite pincée de sel. Façonnez en forme de hamburger plutôt plat.

Beurrez la plaque du four. Disposez-y le hamburger. Mettez dans le four préchauffé. Laissez cuire 8 à 10 minutes à 220 °C, jusqu'à ce que la viande soit bien cuite, en la retournant à mi-cuisson.

Pour servir, tapissez l'assiette de votre bébé avec une feuille de laitue préalablement lavée. Faites-y glisser le hamburger.

Variante express Mélangez au steak haché 1 cuillerée à soupe de corn flakes trempés 5 minutes dans 10 cl de lait.

agneau et aubergine

9 mois

Préparation **10 minutes**
Cuisson **40 minutes**

1 petite **côte d'agneau** première
100 g d'**aubergine**
¼ de **citron**
1 petite pincée de **sel**

Lavez l'aubergine sans la peler. Faites-la cuire 40 minutes à la vapeur.

Au bout de 30 minutes, faites griller la côtelette à point, puis dégagez la noisette (cœur) et hachez-la finement.

Quand l'aubergine est cuite, passez-la sous le robinet d'eau froide pour la rafraîchir et pouvoir la manipuler sans vous brûler, puis ouvrez-la et raclez toute la pulpe.

Mettez-la dans une assiette, arrosez-la de quelques gouttes de jus de citron, ajoutez une toute petite pincée de sel et écrasez bien à la fourchette, jusqu'à ce que vous obteniez une purée bien lisse. Parsemez de hachis d'agneau. Donnez à la cuillère.

Vous pouvez adoucir la purée d'aubergine avec un peu de petit-suisse, de yaourt ou de lait concentré non sucré. Vous pouvez aussi la parfumer avec du cerfeuil haché ou une petite pincée de cumin en poudre.

hachis d'agneau

9 mois

Préparation **10 minutes**
Cuisson **15 minutes**

1 petite **côte d'agneau** première
1 poignée de **petits pois** frais, en cosses
¼ de **citron**
1 petite noisette de **beurre** (5 g environ)
1 petite pincée de **sel**

Écossez les petits pois et faites-les cuire 10 minutes à la vapeur.

Faites griller la côtelette à point, puis dégagez la noisette (cœur) et hachez-la finement.

Quand les petits pois sont cuits, passez-les à la moulinette et incorporez-y une petite noisette de beurre et quelques grains de sel. Formez des quenelles à l'aide de deux cuillères à café et disposez-les sur un côté de l'assiette de votre bébé. Disposez le hachis d'agneau de l'autre côté. Arrosez le tout de quelques gouttes de jus de citron.

Donnez à manger à votre bébé à la cuillère.

Avant de le hacher, vous pouvez assaisonner l'agneau avec une infime pincée de cumin moulu.

raviolis au poisson blanc

12 mois

Préparation **40 minutes**
Cuisson **30 minutes**

Pâte à raviolis
100 g de **farine**
1 pincée de **sel**
1 **œuf**

Farce (pour bébé)
30 g de restes de **poisson blanc** (dorade, sole, barbe, limande, etc.)
1 c. à s. de **fromage blanc** battu à 40 % de matières grasses
quelques **herbes aromatique** mélangées (persil, cerfeuil, coriandre, aneth, estragon, etc.)
noix de muscade

Mixez la farine, le sel et l'œuf jusqu'à obtention d'une pâte souple et homogène. Roulez-la en boule et laissez-la reposer 30 minutes sous un torchon.

Abaissez la pâte au rouleau, le plus finement possible, et découpez des carrés à l'emporte-pièce. Vous devez obtenir 24 carrés de 6,5 cm de côté... mais 4 seulement sont pour votre bébé ! Réservez.

Parez les restes de poisson blanc en éliminant les peaux et les arêtes. Hachez-les avec le fromage blanc et les herbes lavées et essorées. Assaisonnez ce hachis d'un soupçon de noix de muscade râpée.

Divisez le hachis en deux portions, déposez-les sur deux carrés de pâte, recouvrez-les avec deux autres carrés de pâte en pressant bien les bords entre eux (vous pouvez les humecter légèrement) pour que pâte du dessus et pâte du dessous se soudent bien. Réservez.

Pendant ce temps, portez à ébullition une petite casserole d'eau, puis jetez-y les raviolis. Laissez cuire 2 à 3 minutes, le temps qu'ils remontent d'eux-mêmes à la surface. Retirez-les à l'aide d'une écumoire, et mettez-les dans une assiette.

Cette recette donne des quantités minima pour faire la pâte à raviolis, mais c'est encore trop pour un bébé ! Une bonne raison pour que toute la famille adopte le même menu (augmentez alors proportionnellement la quantité de farce). Si votre bébé a bon appétit, ou s'il a près de 18 mois, vous pouvez lui accorder un ravioli supplémentaire, mais pas plus !

joue de lotte à la tomate

9 à 10 mois

Préparation **15 minutes**
Cuisson **10 minutes**

1 **joue de lotte** pas trop grosse (30 à 50 g)
1 belle **tomate** bien mûre
1 branche de **persil**
1 branche de **cerfeuil**
2 feuilles de **basilic**
1 c. à c. d'**huile d'olive**
1 pincée de **sel**

Décollez la peau de la joue si elle y adhère.
Lavez la joue et coupez-la en tout petits dés.

Lavez, pelez, épépinez la tomate.
Coupez-la en petits dés.

Lavez, essorez et hachez toutes les herbes.

Sur une feuille de papier sulfurisé, mélangez les petits dés de tomate et de poisson. Parsemez de hachis d'herbes. Ajoutez un rien d'huile d'olive et une toute petite pincée de sel. Refermez en forme de papillote.

Mettez au four préchauffé et faites cuire 10 minutes à 220 °C ou à la vapeur.

Ouvrez la papillote sur l'assiette de votre bébé… et n'oubliez pas de lui faire renifler le plat avant de le lui faire déguster !

langoustine à la tomate

12 mois

Préparation **5 minutes**
Cuisson **10 minutes**

1 **langoustine** d'une fraîcheur absolue
100 g de **courgette**
1 **tomate** bien mûre
1 brindille de **thym**
1 c. à c. d'**huile d'olive**
¼ de **citron**

Lavez la langoustine. Lavez la courgette sans la peler. Lavez la tomate. Passez le tout 2 minutes à la vapeur.

Taillez alors la courgette en fine julienne. Pelez, épépinez et concassez la tomate. Décortiquez la langoustine, escalopez sa queue en très fines lamelles ou en petits dés.

Sur une feuille de papier sulfurisé, éparpillez les vermicelles de courgette, puis le concassé de tomate. Effeuillez une brindille de thym par-dessus, puis disposez les lamelles (ou les dés) de langoustine.

Recueillez la partie crémeuse et le corail qui se trouvent dans la tête de la langoustine, délayez-les avec à peine un filet d'huile d'olive et quelques gouttes de jus de citron. Versez sur la langoustine. Refermez en forme de papillote.

Enfournez à four préchauffé. Laissez cuire 8 à 10 minutes à 220 °C ou à la vapeur.

Pour servir, ouvrez la papillote sur une assiette… sans oublier de mettre la tête de la langoustine à côté : votre bébé sera fasciné !

papillote de lapin au vert de bettes

9 mois

Préparation **15 minutes**
Cuisson **25 minutes**

30 g de **lapin** (râble) prélevé sur le plat familial
4 feuilles de **bettes** (sans les côtes)
1 belle **tomate** bien mûre
1 c. à c. d'**huile d'olive vierge extra**, première pression à froid
¼ de **citron**
1 brindille de **thym**
1 petite pincée de **sel**

Lavez soigneusement les feuilles de bettes en retirant les grosses nervures. Passez-les 10 minutes à la vapeur et hachez-les grossièrement au couteau.

Lavez la tomate, passez-la 2 minutes à la vapeur, pelez-la, épépinez-la et concassez-la grossièrement.

Sur un carré de papier sulfurisé, étalez le vert de bettes et le concassé de tomate.

Escalopez très finement le râble de lapin et disposez les lamelles sur les légumes.

Dans un bol, délayez l'huile d'olive avec le jus du citron, les feuilles de thym et une toute petite pincée de sel. Arrosez régulièrement le lapin avec cette petite sauce.

Refermez en forme de papillote. Enfournez dans le four préchauffé. Laissez cuire 10 minutes à 220 °C, ou à la vapeur.

Pour servir, ouvrez la papillote sur l'assiette de votre bébé et donnez-la lui à la cuillère.

petit curry de poulet

12 mois

Préparation **10 minutes**
Cuisson **30 minutes**

50 g de **blanc de poulet** (escalope)
1 **pomme** (reinette ou golden)
¼ de **citron**
25 cl de **lait**
1 petite pincée de **curry doux**
1 c. à s. de **pulpe de noix de coco** râpée
1 petite noisette de **beurre**
1 petite pincée de **sel**

Coupez l'escalope de poulet en petits dés. Pelez la pomme et coupez-la en petits dés en éliminant les parties dures du centre et les pépins. Arrosez-la aussitôt avec le jus de citron pour l'empêcher de noircir.

Mettez les dés de poulet et les dés de pomme dans une casserole avec le lait, le sel et le curry doux. Mélangez, laissez cuire 20 minutes sur feu très doux.

Ajoutez la noix de coco et le beurre, mélangez soigneusement, poursuivez la cuisson 10 minutes, toujours sur feu très doux.

Transvasez dans une assiette et donnez à votre bébé dès que la température lui convient.

coquelet au maïs doux

9 mois

Préparation **10 minutes**
Cuisson **10 minutes**

30 g de **coquelet rôti** (prélevé sur le plat familial)
1 petite boîte de **maïs doux** en grains
1 branche d'**estragon**
1 petite boîte de **lait concentré** non sucré
1 petite noisette de **beurre** (5 g environ)

Rincez le maïs, mettez-le dans une casserole avec la branche d'estragon lavée et le lait concentré. Portez à frémissement sur feu très doux pendant 5 à 10 minutes : le lait doit devenir crémeux.

Pendant ce temps, prélevez 30 g de blanc (sans la peau) sur le coquelet rôti.

Passez le contenu de la casserole au mixeur (après avoir retiré l'estragon) avec le coquelet, de manière à obtenir un hachis plus ou moins grossier, selon que votre bébé aime ou non les morceaux.

Pour servir, transvasez dans une assiette et ajoutez une petite noisette de beurre. Mélangez.

Si votre bébé est très débrouillard, prélevez une cuisse sur le coquelet et donnez-la lui telle quelle : sa petite taille la rend parfaitement adaptée à sa petite main ! Vous pouvez aussi lui donner un épi de maïs, qu'il s'amusera certainement à ronger comme les grands !

œuf cocotte au jambon

12 mois

Préparation **15 minutes**
Cuisson **10 minutes**

1 **œuf**
½ tranche de **jambon cuit** (jambon blanc) bien maigre
2 **champignons de Paris**
1 petite noisette de **beurre** (5 g environ)
1 c. à s. de **crème fraîche**
noix de muscade
1 petite pincée de **sel**

Beurrez un ramequin avec la moitié du beurre. Cassez-y l'œuf entier.

Retirez la couenne et dégraissez parfaitement le jambon, passez-le à la moulinette, ajoutez à l'œuf.

Coupez le pied terreux des champignons, pelez les chapeaux, essuyez-les avec un torchon humide et hachez-les (éventuellement, passez-les quelques minutes à la vapeur au préalable). Ajoutez à l'œuf.

Ajoutez la crème fraîche, salez très légèrement et râpez un soupçon de noix de muscade. Terminez par le reste de beurre.

Placez le ramequin au bain-marie, dans la plaque creuse du four préchauffé, remplie d'eau bouillante. Laissez cuire 8 à 10 minutes à 220 °C, jusqu'à ce que le blanc soit pris, mais le jaune encore moelleux.

Servez dès que votre bébé peut toucher le ramequin sans risquer de se brûler.

Il est essentiel que l'eau du bain-marie soit bouillante : pendant le temps que l'eau mettrait à chauffer, le jaune aurait le temps de se solidifier. Une bonne astuce consiste à préchauffer le ramequin (en le plongeant quelques minutes dans l'eau bouillante par exemple). Vous pouvez aussi faire cuire l'œuf cocotte à la vapeur, en le protégeant alors avec un carré de papier d'aluminium pour empêcher la condensation de retomber à l'intérieur du ramequin.

carottes râpées

10 mois

Préparation **15 minutes**

100 g de **carotte**
2 branches de **persil**
100 g de **fromage blanc** à 40 % de matières grasses
¼ de **citron**
1 petite pincée de **sel**

Pelez les carottes, lavez-les et râpez-les le plus finement possible. Lavez et ciselez le persil.

Mettez les carottes râpées dans l'assiette de votre bébé. Ajoutez le fromage blanc, une toute petite pincée de sel et quelques gouttes de jus de citron. Mélangez jusqu'à ce que la préparation soit homogène.

Préparées ainsi, les carottes râpées n'ont pas besoin d'huile ! Vous pouvez remplacer le jus de citron par du jus d'orange.

béchamel verte au cresson

9 mois

Préparation **10 minutes**
Cuisson **20 minutes**

1 noisette de **beurre** (5 g environ)
1 c. à s. rase de **farine** (5 g environ)
10 cl de **lait**
noix de muscade
1 poignée de feuilles de **cresson**

Dans une petite casserole, sur feu doux, laissez fondre le beurre jusqu'à ce qu'il commence à mousser légèrement. Ajoutez la farine et délayez aussitôt, jusqu'à ce que le mélange devienne lisse et homogène, mais surtout sans le laisser colorer.

Versez aussitôt le lait chaud (préalablement bouilli) et délayez. Râpez un soupçon de noix de muscade. Laissez cuire 5 minutes à peine sur feu doux, sans cesser de mélanger avec une cuillère en bois ou un fouet, jusqu'à ce que la sauce épaississe. Retirez aussitôt du feu.

Triez le cresson, coupez les queues et lavez-le soigneusement. Mettez-le dans une casserole sans eau ni matière grasse, couvrez et laissez étuver 5 minutes à feu doux. Égouttez le cresson et mixez-le.

Incorporez le cresson à la béchamel, et utilisez-la comme indiqué dans la recette choisie.

Vous pouvez bien sûr remplacer le cresson par des épinards, des feuilles de bettes, des feuilles de salade, des fanes de radis, ou même des herbes aromatiques (persil, cerfeuil, estragon, ciboulette, basilic, menthe verte, barbes de fenouil, etc.) selon la recette choisie. Ces proportions, suffisantes pour un nourrisson, vous permettent d'obtenir une béchamel assez fluide, plus digeste… et susceptible de passer à travers les trous d'une tétine ! Pour une sauce plus épaisse (quand votre bébé aura grandi), il vous suffira d'augmenter légèrement la dose de farine.

lait de poule verdurette

12 mois

Préparation **10 minutes**

1 petit bouquet d'**herbes aromatiques** mélangées
20 cl de **lait**
1 **œuf**

Triez et lavez soigneusement les herbes. Hachez-les le plus finement possible.

Mettez-les dans une petite casserole avec le lait. Portez à frémissement, retirez du feu et laissez tiédir.

Cassez l'œuf en séparant le blanc du jaune ; ne conservez que le jaune, en éliminant les germes. Mettez-le dans un bol.

Délayez peu à peu avec le lait tiède, en tamisant éventuellement au chinois si votre bébé ne sait pas boire au verre.

Donnez à boire au bol, au verre ou au biberon.

yaourts et fromages blancs

9 mois

Préparation **5 minutes**

Suggestions...

... pour aromatiser les yaourts, les petits-suisses et le fromage blanc... autrement qu'avec la traditionnelle cuillerée de sucre en poudre. Au fait, l'avez-vous déjà fait essayer nature à votre bébé ?

- 1 c. à c. de cassonade,
- 1 c. à c. de miel liquide (acacia, tilleul, mille fleurs),
- 1 c. à c. de pomme-poire au miel (p. 102),
- 1 c. à c. de confiture au choix,
- 1 c. à s. de coulis de fruits frais (abricots, pêche, mangue, cerises, ananas, fraises, prunes),
- 1 c. à s. de compote au choix,
- 1 c. à c. de sirop d'érable,
- 1 c. à s. de pulpe de noix de coco râpée, fraîche ou séchée (20 g environ),
- 1 c. à c. de pâte de noisettes,
- 1 sachet de sucre vanillé,
- 1 carré de chocolat noir râpé,
- 1 c. à s. d'herbes aromatiques (persil, cerfeuil, ciboulette, estragon, basilic, menthe, aneth, etc.) bien lavées et finement hachées,
- ½ carotte, râpée crue ou moulinée cuite,
- 1 portion de fromage fondu (malaxez ensemble),
- 1 noix de roquefort + 1 noix hachée,
- quelques gouttes d'eau de fleurs d'oranger,
- ½ pomme râpée crue et quelques gouttes de jus de citron,
- quelques radis hachés crus,
- 1 tranche de pain d'épices et quelques gouttes de jus d'orange,
- 1 trait de sirop, etc.

mont-blanc au petit-suisse

9 mois

Préparation **15 minutes**

2 c. à s. de **crème de marrons** vanillée (en boîte)
1 gros **petit-suisse** (60 g) à 40 % de matières grasses
2 c. à s. de **lait**

Passez éventuellement la crème de marrons au mixeur pour l'aérer et la rendre plus légère. Versez-la dans une assiette.

Passez alors, dans le mixeur propre, le petit-suisse et le lait (préalablement bouilli), de manière à obtenir une crème mousseuse, aérienne, d'une consistance proche de celle de la crème fouettée. Au besoin, ajoutez un peu de lait.

Nappez la crème de marrons avec cette « neige ». Donnez à votre bébé à la cuillère, en mélangeant crème de marrons et crème au petit-suisse.

mousse banane noix de coco

9 mois

Préparation **10 minutes**

1 **banane bien mûre**
1 c. à s. de **pulpe de noix de coco** râpée
¼ de **citron**

Pelez la banane sans oublier de retirer les longs filaments blancs, coupez-la en morceaux.

Mettez-les dans le mixeur avec la pulpe de coco et quelques gouttes de jus de citron. Réduisez en purée mousseuse.

Transvasez dans une coupelle.

mini omelette

12 mois

Préparation **10 minutes**
Cuisson **5 minutes**

1 **œuf**
1 petite noisette de **beurre** (5 g environ)
sel
1 c. à s. de **lait concentré** non sucré

Cassez l'œuf dans un bol, battez-le en omelette avec quelques grains de sel et le lait concentré.

Faites fondre le beurre dans une poêle de petit diamètre (10 cm environ, genre poêle à blinis), mais sans le laisser colorer.

Dès qu'il est chaud, versez-y l'œuf battu et faites cuire l'omelette en la retournant ou en la pliant, selon votre méthode préférée.

Vous pouvez aussi prélever la valeur d'un œuf sur l'omelette prévue pour le repas familial.

riz au lait velouté

9 mois

Préparation **5 minutes**
Cuisson **20 minutes**

40 g de **riz à grain rond**
20 cl de **lait**
1 c. à s. de **sucre en poudre** ou de **cassonade**

Versez le lait dans une petite casserole, portez à frémissement sur feu très doux pour qu'il ne déborde pas. Dès qu'il est chaud, délayez-y le sucre en poudre.

Jetez-y le riz (préalablement lavé) en pluie, mélangez, laissez cuire 15 minutes à feu doux.

Quand le riz est cuit, passez-le au mixeur avec son jus pour le réduire en crème veloutée, transvasez-le dans un ramequin et laissez refroidir complètement.

riz au miel

9 mois

Préparation **5 minutes**
Cuisson **20 minutes**

20 cl de **lait**
1 c. à c. de **miel** au choix
40 g de **riz à grain rond**

Versez le lait dans une petite casserole, portez à frémissement sur feu très doux pour qu'il ne déborde pas. Dès qu'il est chaud, délayez-y le miel.

Jetez-y le riz (préalablement lavé) en pluie, mélangez, laissez cuire 15 minutes à feu doux.

Quand le riz est cuit, transvasez-le dans un ramequin avec son jus et laissez refroidir complètement :
le riz finira d'absorber le lait en refroidissant.

Ce riz est délicieux accompagné d'une mousse de fruits frais : abricots, mangue, cerises, pêche, reines-claudes, mirabelles ou autres, lavés, dénoyautés et mixés crus.

œufs à la neige

12 mois

Préparation **20 minutes**

25 cl de **lait**
¼ de gousse de **vanille**
3 **jaunes d'œufs**
50 g de **sucre en poudre**
3 **blancs d'œufs**
1 c. à c. de **sucre glace**

Pour préparer la crème anglaise, faites bouillir le lait dans une casserole avec une gousse de vanille fendue en deux et bien raclée. Retirez aussitôt du feu et laissez refroidir.

Dans une terrine battez les jaunes d'œufs avec le sucre en poudre jusqu'à ce que la préparation blanchisse et devienne mousseuse.

Ôtez la vanille, puis renversez la crème dans la casserole ; délayez alors peu à peu avec le lait tiède. Faites cuire sur feu doux sans cesser de remuer, jusqu'à ce que la crème nappe la cuillère, mais surtout sans laisser bouillir, car la crème tournerait aussitôt.

Montez les blancs en neige ferme, en y incorporant peu à peu le sucre glace.

Quand ils sont bien fermes, prélevez-en des cuillerées, que vous ferez pocher par fournées, 1 minute par face, dans une casserole d'eau bouillante (ou de lait).

Retirez-les au fur et à mesure à l'aide d'une écumoire, laissez-les s'égoutter un peu, puis disposez-les à la surface de la crème anglaise.

Pour votre bébé, ne mettez qu'un seul blanc à la surface de son ramequin.

œuf au lait

12 mois

Pour **2**
Préparation **10 minutes**
Cuisson **15 minutes**

20 cl de **lait**
1 c. à s. de **sucre en poudre**
1 **œuf**
quelques gouttes d'**eau de fleur d'oranger**

Faites bouillir le lait avec le sucre, en veillant à ce qu'il ne déborde pas.

Battez l'œuf en omelette avec quelques gouttes d'eau de fleur d'oranger, puis versez le lait peu à peu, sans cesser de battre vigoureusement pour que l'œuf n'ait pas le temps de cuire au contact du lait chaud.

Versez la crème dans deux ramequins. Recouvrez avec une feuille de papier d'aluminium pour empêcher la condensation de retomber à l'intérieur, et faites cuire 15 minutes à la vapeur.

Servez tiède ou froid, mais pas glacé.

Vous pouvez aussi cuire la crème au four, au bain-marie, 20 minutes à 220 °C.

mousse au chocolat

12 mois

Préparation **20 minutes**

1 **barre de chocolat** à croquer de 10 g (2 carrés environ)
10 g de **beurre**
1 **œuf extra-frais**
1 c. à s. de **sucre en poudre**
1 c. à c. de **crème fleurette**

Au-dessus d'une petite casserole, faites fondre au bain-marie, dans une assiette, le chocolat et le beurre. Retirez du feu dès qu'ils sont fondus car ils ne doivent pas cuire. Mélangez pour obtenir une pâte homogène.

Dans une terrine, travaillez le jaune d'œuf et le sucre en poudre au fouet, jusqu'à ce que le mélange blanchisse et devienne mousseux.

Incorporez la pâte de chocolat, délayez soigneusement.

Montez le blanc d'œuf en neige ferme, incorporez-le délicatement à la préparation.

Fouettez encore la crème pour la rendre mousseuse, incorporez-la également à la réparation.

petits-suisses aux fruits frais

9 mois
si les fruits sont mixés
12 mois s'ils sont écrasés
à la fourchette

Préparation **10 minutes**

2 **petits-suisses** de 60 g
2 ou 3 **fraises** ou
1 c. à s. de **framboises**
ou 1 **abricot** ou ½ **poire**
ou ¼ de **pêche**, etc.

Épluchez le fruit choisi en éliminant queue, peau, noyau, pépins selon le cas. Coupez en dés minuscules ou mixez.

Mélangez-les aux petits-suisses dans une coupelle.

Servez aussitôt.

Il n'est pas nécessaire de sucrer.

crème renversée au caramel

12 mois

Pour **2 ramequins**
Préparation **15 minutes**
Cuisson **40 minutes**

25 cl de **lait**
¼ de **gousse de vanille**
3 **œufs**
50 g de **sucre en poudre**
1 petite noisette de **beurre**
2 morceaux de **sucre** (pour caraméliser les ramequins)

Dans une casserole, faites bouillir le lait avec la gousse de vanille fendue en deux, sans le laisser déborder. Au premier bouillon, retirez du feu et laissez tiédir.

Dans une terrine, battez les œufs entiers et le sucre en poudre, vigoureusement, jusqu'à ce que la préparation devienne crémeuse. Incorporez peu à peu le lait tiédi, après avoir ôté la vanille. Versez dans les ramequins préalablement caramélisés.

Placez dans le four préchauffé. Laissez cuire 40 minutes (1 heure pour un grand moule) au bain-marie (dans la plaque creuse du four remplie d'eau bouillante), à 180 °C.

Laissez refroidir complètement. « Renversez » sur une assiette avant de servir.

compote de figues fraîches

12 mois

Préparation **5 minutes**
Cuisson **10 minutes**

2 ou 3 **figues violettes**, bien mûres, mais non blettes
1 sachet de **sucre vanillé**
¼ de **citron**
1 c. à s. de **crème fleurette**

Pelez les figues, coupez-les en quartiers, mettez-les dans une petite casserole avec le sucre vanillé, quelques gouttes de jus de citron et 2 cuillerées à soupe d'eau. Laissez mijoter 10 minutes à peine sur feu doux, en mélangeant.

Versez le contenu de la casserole dans une petite assiette, écrasez bien à la fourchette et, dès que la compote a suffisamment tiédi, arrosez de crème fleurette et présentez à votre bébé.

compote de rhubarbe

12 mois

Préparation **10 minutes**
Macération **12 heures**
Cuisson **30 minutes**

120 g de **rhubarbe**
2 c. à s. de **sucre en poudre**

La veille, coupez les tiges de rhubarbe au ras des feuilles (ne conservez pas ces dernières, elles sont toxiques), retirez la fine pellicule qui les recouvre à l'aide d'un petit couteau pointu, puis coupez-les en petits tronçons.

Mettez la rhubarbe dans une terrine avec le sucre. Laissez macérer pendant 12 heures en mélangeant de temps en temps.

Versez le contenu de la terrine dans une casserole avec 10 cl d'eau. Laissez cuire 30 minutes sur feu très doux, en terminant la cuisson à couvert si le jus réduit trop.

Passez la rhubarbe au mixeur pour la réduire en fine compote.

Transvasez dans un ramequin. Servez frais.

crêpes à la confiture

12 mois

Pour **12 crêpes environ**
Préparation **10 minutes**
Repos **30 minutes**
Cuisson **25 minutes**

100 g de **farine**
3 **œufs**
30 g de **beurre**
25 cl de **lait**
1 cube de **lard gras frais**
confitures variées
(abricots, fruits rouges, gelée de groseilles, etc.)
1 pincée de **sel**

Mettez la farine et le sel dans un saladier. Creusez un puits, cassez-y les œufs entiers. Travaillez peu à peu à la fourchette ou au fouet jusqu'à ce que le mélange devienne homogène. Ajoutez le beurre juste fondu, puis délayez peu à peu avec le lait. Laissez reposer 30 minutes.

Faites chauffer une petite poêle (18 à 20 cm de diamètre), piquez le cube de lard gras au bout d'une fourchette, graissez-en la poêle.

Versez une petite louche de pâte dans la poêle et inclinez-la en tous sens pour que la pâte se répartisse sur tout le fond.

Laissez cuire sur la première face jusqu'à ce que de petites cloques se forment à la surface de la crêpe et qu'elle se décolle du fond.

Retournez la crêpe à l'aide d'une spatule, sans la briser. Laissez dorer et cloquer 1 minute sur la deuxième face.

Procédez ainsi jusqu'à épuisement de la pâte, sans oublier de graisser la poêle à chaque fois avec le lard.

Étalez un peu de confiture sur la crêpe de votre bébé, roulez-la et donnez-la lui à la cuillère.

Autre méthode pour préparer la pâte à crêpes : ne mettez que les jaunes au départ, et ajoutez les blancs battus en neige juste au moment de préparer les crêpes.

annexes

table des recettes

de 4 à 8 mois

de 9 à 12 mois

index des recettes mois par mois

4 mois

5 mois

6 mois

7 mois

8 mois

9 mois

10 mois

12 mois

découvrez toute la collection